Chère lectrice,

Ce mois-ci, je vous invite à découvrir deux romans pétillants et plein d'humour !

Dans *Remue-ménage amoureux*, vous ferez la connaissance de Cami, une charmante jeune décoratrice qui demande à Tanner, un séduisant entrepreneur, de l'aider à rénover sa maison. Mais comment la timide Cami pourrait-elle se douter qu'elle vient d'engager... l'homme idéal ?

Si vous souhaitez un peu plus d'exotisme, suivez les traces de Liliana, princesse de Spitzenberg, dans son voyage aux Etats-Unis. Elle qui ne rêve que de rencontrer le grand amour vivra-t-elle un conte de fées ?

Si vous voulez le savoir, plongez vite dans ce tout nouveau programme, spécialement choisi pour vos vacances d'été !

Et dès le mois prochain, retrouvez deux romans Coup de Folie inédits !

Bonne lecture.

La Resp[illegible]able de collection

JILL SHALVIS

Remue-ménage amoureux

Cet ouvrage a été publié en langue anglaise
sous le titre :
BLIND DATE DISASTERS

Traduction française de
CAROLE PAUWELS

HARLEQUIN®

est une marque déposée du Groupe Harlequin
et Coup de Folie® est une marque déposée d'Harlequin S.A.

83-85, boulevard Vincent-Auriol, 75013 PARIS — Tél. : 01 42 16 63 63
Service Lectrices — Tél. : 01 45 82 47 47
ISBN 2-280-15023-9 — ISSN 1633-9827

1.

Que dire à propos d'un lundi, surtout d'un lundi matin ? Pas grand-chose, à part peut-être qu'il ne restait plus que cinq jours à attendre avant que ne revienne la période bénie du week-end.

Cami Anderson détestait les lundis avec la même ferveur qu'elle employait à aimer les samedis et, lorsque l'alarme de son réveil déchira le silence pour la troisième fois, elle repoussa mollement l'assourdissant appareil.

Peut-être pas si mollement que ça, à en juger par le gracieux vol plané de la pendulette. Mais au moins, maintenant, elle avait la paix !

Avec un soupir, elle se blottit un peu plus dans la tiédeur confortable du lit et tenta d'ignorer le soleil éblouissant qui inondait sa chambre de lumière. Pendant quelques minutes délicieuses, il lui sembla qu'elle flottait à la limite du monde réel et du rêve, où tout est possible. Là où on peut se gorger de nourriture sans jamais grossir, où les hommes sont beaux, intelligents et attentionnés, là où les comptes en banque ne sont jamais dans le rouge, et où les mères ne sont pas perpétuellement insatisfaites.

Et puis, quelque chose vint détruire cette belle harmonie, la sensation d'un poids sur sa tête, lourd, suffocant, aveuglant.

— Annabel ! protesta Cami, en repoussant sans ménagement la boule de poils qui venait de s'enrouler autour de sa tête.

Vexée d'être repoussée avec une telle inélégance, la chatte tigrée poussa un miaulement réprobateur, tout en battant l'air de sa queue. Puis, après un moment d'intense réflexion, elle sauta sur le lit et, de sa tête ronde et dure, vint pousser la joue de Cami.

— Non, ce n'est pas l'heure du repas, trancha cette dernière, avant d'enfouir la tête sous l'oreiller.

Il fallait déclarer hors-la-loi les matins, fixer par décret le début de la journée à une heure plus décente. Disons, midi.

Bon, c'est vrai, ce n'est pas en traînant au lit toute la journée qu'elle allait rencontrer un homme. Pour une fois, sa mère avait raison…

Bien décidée à obtenir gain de cause, Annabel escalada la forme allongée et, toutes griffes dehors, se mit à pétrir la couverture en ronronnant de toutes ses forces.

— Aïe ! s'écria la jeune femme. Fiche le camp !

Puis elle replongea dans son rêve éveillé. Plus de banquier réprobateur, plus de leçons de morale maternelles… Rien qu'une plage. Une plage tropicale, gorgée de soleil, avec des palmiers, une mer couleur émeraude… et une multitude de beaux garçons. Bronzés, musclés, avec des maillots de bain qui… Non ! Nus. Oui, c'était mieux, nus ! Le corps luisant d'huile solaire…

La sonnette de l'entrée arracha la jeune femme à sa rêverie. Elle grommela et décida qu'elle n'avait rien entendu. Les sonnettes aussi devraient être illégales. Finalement, elle allait peut-être changer ses projets d'avenir et se lancer dans la politique. Comme ça, elle pourrait inventer tout un tas de lois merveilleuses. Sur les hommes nus, et l'huile solaire, pour commencer…

On sonna de nouveau, avec insistance, et Cami revint enfin à la réalité.

— Oui, ça va ! Je ne suis pas sourde.

Quelle barbe ! Ce n'était quand même pas sa faute si elle n'était pas du matin. C'était une caractéristique parmi tant d'autres de sa personnalité, et personne ne pouvait l'en blâmer.

— J'arrive ! cria-t-elle, en jaillissant du lit.

Soudain, elle prit conscience qu'elle était nue. Ce qui n'avait rien d'étonnant puisque, une fois de plus, elle avait totalement négligé de faire une lessive. Dans le même temps, elle s'aperçut avec horreur que sa pendulette indiquait 11 heures.

— Oh non, murmura-t-elle, en tournant un regard contrit vers Annabel, dont les yeux verts exprimaient une suprême indignation. Tu avais raison, il est largement l'heure du repas.

Comme elle se baissait pour ramasser le réveil, Cami sentit la tête lui tourner, tandis qu'un spasme tordait son estomac. Ironique, elle adressa un remerciement muet à sa jumelle, Dimi, qui, Dieu merci, avait décidé d'aller vivre de son côté. N'était-ce pas Dimi qui avait insisté pour lui faire boire deux minuscules flûtes de champagne, tout en sachant très bien qu'elle n'avait jamais supporté l'alcool ?

La sonnette retentit encore une fois, et Cami sentit comme un poignard lui transpercer la tête.

— Oui, je viens, grommela-t-elle.

La couverture enroulée autour d'elle, elle marcha vers la porte, prête à mettre en pièces son indésirable visiteur. A supposer que ce fût Dimi. Mais, de qui d'autre pouvait-il s'agir ? En dehors de sa sœur jumelle de vingt-six ans, Cami n'avait guère de vie. Et la réciproque était vraie. Triste constat pour deux anciennes reines de beauté.

Pourtant, ce n'était pas faute d'essayer. Depuis le lycée, elles en avaient rencontré des candidats au rôle d'homme idéal. Cami, le clown de la famille, avait un faible pour les gravures de mode au sourire étincelant. Dimi, l'intellectuelle, ne jurait que par les hommes brillants et ambitieux.

Hélas, la population masculine souffrait d'un grave déficit en princes charmants. Il y avait toujours quelque chose qui clochait chez les hommes avec qui elles étaient sorties. Quelque chose n'allait pas dans cette société. Cette époque était désastreuse.

Car c'étaient bien les autres, les seuls responsables. Ça ne pouvait pas venir d'elles, n'est-ce pas ?

Après avoir longuement réfléchi, les deux sœurs en étaient arrivées à la conclusion qu'elles pouvaient peut-être faire un petit effort pour changer.

En ayant des vies séparées, par exemple.

Dimi avait donc quitté la petite maison située dans un quartier résidentiel, pour s'installer… de l'autre côté de la rue. Soit à une distance d'environ cinquante pas ! Ça pouvait sembler ridicule, mais Cami n'avait plus à partager sa cire à épiler, et il y avait toujours des chips dans le placard lorsque lui prenait l'envie d'en grignoter. C'est-à-dire, à peu près tous les jours.

— Merci pour le réveil en fanfare ! remarqua Cami, tandis qu'elle ouvrait la porte à la volée.

Çà, alors ! Ce n'était pas Dimi. Et ce n'était pas une femme. Là, il n'y avait aucun doute. Incontestablement masculin. Et définitivement splendide.

— Je… vous… euh… Avalant sa salive, Cami fit une petite grimace qui pouvait passer pour un sourire. Hmm… Bonjour.

— Bonjour, répondit l'homme, avec une intonation chaleureuse et pleine d'entrain.

Apercevant Annabel au pied de la jeune femme, il se pencha et tendit la main vers l'animal.

— Hé, salut, toi, murmura-t-il, d'une voix à faire fondre un iceberg.

Annabel, qui ne supportait aucun être humain en dehors de Cami, abandonna sans regret sa maîtresse adorée, et vint se frotter contre les jambes du visiteur. Des jambes plutôt intéressantes, à vrai dire, moulées dans un jean blanchi jusqu'à l'usure. Au-dessus de ces jambes, il y avait des hanches étroites, ceintes d'une large sangle de cuir garnie d'outils, et surmontées du plus beau torse de la création. Un torse à la musculature puissante, qu'épousait un T-shirt blanc, porté sous une chemise de flanelle à carreaux déboutonnée. Et l'époustouflant spectacle ne s'arrêtait pas là. Il fallait parler aussi des épaules, larges, puissantes. Du visage à la peau mate, aux traits anguleux, résolument virils et… perplexes.

— Je me suis trompé de jour ? demanda-t-il, vaguement inquiet. Je pensais que vous aviez dit lundi.

— Lundi ?

Le regard de Cami flottait, hagard, tandis qu'elle essayait de comprendre de quoi l'inconnu pouvait bien parler. Sa migraine devenait accablante, et elle porta une main à son front. Penser était décidément une prouesse incompatible avec l'absorption de champagne. Il lui fallut quelques secondes pour se rappeler ce qui s'était passé la veille, ce que Dimi et elle avaient fêté.

— Vous… Vous êtes ?

— Tanner James, dit l'homme, en tendant une large main, à la paume calleuse.

Seigneur ! Comment avait-elle pu oublier que sa nouvelle vie commençait aujourd'hui même ?

Quelque part entre le dîner d'hier soir et l'horrible mal de tête de ce matin, s'était diluée l'exaltante impression que tous ses rêves étaient sur le point de se réaliser. Elle y était finalement arrivée. Elle avait obtenu son diplôme de décoratrice d'intérieur.

Cette pensée la fit sourire. Celle que tout le monde dans la famille traitait de bonne à rien, de rêveuse, celle qui ne pensait jusqu'alors qu'à s'amuser, voyait enfin une carrière se dessiner devant ses yeux. Un avenir dans lequel elle allait se jeter à corps perdu.

Tout ce qu'il lui fallait, c'était quelques clients. Et, puisque l'habit faisait le moine, elle allait commencer par sa propre maison. Située dans le quartier historique de Truckee, la bâtisse datait du XIXe siècle, et présentait un intérêt architectural certain, en dépit des transformations apportées dans les années 70 par ses derniers propriétaires. Depuis le classement du quartier, Cami ne pouvait plus rien faire sans en référer aux Monuments historiques, mais s'attaquer à l'affreuse palette de verts criards, de marrons éteints et d'oranges psychédéliques lui semblait un défi autrement plus sévère.

Pour le gros œuvre, elle avait décidé de faire appel à une entreprise de la région. Seulement, elle s'attendait à quelqu'un d'assez âgé. Ou, pour le moins, expérimenté.

Ce qui n'était pas le cas de Tanner James. Enfin, s'il était expérimenté, c'était surtout dans l'art de réduire les jeunes femmes à l'état de chiffe molle.

— Vous êtes bien Cami Anderson ? demanda l'homme, d'une voix impatiente.

— Oui, mais…

— Donc, je suis au bon endroit.

— C'est-à-dire…

— Parfait. Montrez-moi ça.

— Quoi ?

Cami resserra la couverture plus étroitement autour d'elle. Son corps avait toujours été une source de complexes. Trop grand, trop rond. Trop… tout. Le tout consistant en trois kilos excédentaires. Kilos qui n'étaient pas sans rapport avec les chips. Ni avec le chocolat. Ni avec la crème glacée. Bon, d'accord, il s'agissait plutôt de cinq kilos, mais qui pouvait bien s'intéresser à son poids exact ?

— Votre maison. Le travail pour lequel vous m'avez engagé.

Une expression inquiète se dessina sur le visage de l'homme, tandis qu'il la dévisageait avec attention.

— Vous êtes toujours d'accord pour le faire ?

— Euh… oui.

Il parlait de la maison. Pauvre folle ! Qu'était-elle allée s'imaginer ? Il n'avait sans doute même pas remarqué qu'elle était une femme.

— Parfait.

Il semblait s'obliger à garder l'attitude la plus calme, la plus rassurante possible, comme s'il craignait de provoquer une réaction hystérique. Pas de doute, il la prenait pour une cinglée.

— Si on s'y mettait ? J'ai horreur de commencer à travailler aussi tard.

Quelque part dans la tête de Cami déjà suffisamment éprouvée par la migraine, une sonnette d'alarme retentit.

— Juste par curiosité, quelle serait votre heure idéale ?

« 9 heures » essaya-t-elle de lui transmettre par télépathie. S'il donnait la bonne réponse, elle se sentait capable de se pendre à son cou et de l'embrasser sur les deux joues.

— 6 heures.

De surprise, Cami faillit en lâcher sa couverture.

— 6 heures du matin ?

— Ouais.

Oh, Seigneur ! Non seulement, il était beaucoup trop agréable à regarder avec toute cette peau hâlée, ces cheveux châtains qui prenaient par endroits les nuances du miel, et ces yeux d'ambre. Et en plus, il fallait qu'il soit du genre matinal.

Ça ne pouvait pas marcher ! D'un autre côté, elle n'avait pas encore avalé sa dose rituelle de caféine, et n'était pas en état de raisonner.

Elle guida donc Tanner vers le salon, tapissé d'un horrible papier peint marron à motifs géométriques jaune pâle et argent, et dont le sol s'ornait d'une épouvantable moquette orange. Les fenêtres étaient dans un triste état, d'autant plus visible qu'elle avait décroché, le jour même de son emménagement, les monstruosités de velours vert bouteille qui servaient de rideaux. Pour une raison inexpliquée, deux demi-cloisons morcelaient ce qui aurait pu être une vaste et lumineuse pièce de séjour en deux petites zones aussi peu fonctionnelles que possible.

— Berk ! s'exclama Tanner, derrière elle.

— Je sais. J'ai emménagé l'année dernière, et je n'ai pas eu une minute à moi avec les cours, et tout ça…

Tout en parlant, Cami venait d'intercepter son reflet dans le miroir placé au-dessus de la cheminée, et elle faillit pousser un cri d'effroi.

Ses cheveux étaient atrocement emmêlés, sa joue rougie et fripée gardait les traces de l'oreiller et ses yeux, qu'elle avait oublié de démaquiller, étaient bouffis et cernés de mascara.

Pour une ancienne reine de beauté, c'était une réussite !

— Je reviens dans une minute, dit-elle, surprise que son visiteur ne se soit pas enfui en poussant des cris d'horreur.

— Prenez votre temps, dit ce dernier d'un air absent, tandis qu'il jetait un œil sur les plans que Cami lui avait envoyés. C'est pire que ce à quoi je m'attendais.

— Pardon ?

— Votre maison. C'est une catastrophe.

— Allons donc ! rétorqua la jeune femme. Quelques petites réparations par-ci, par-là…

Indifférent, Tanner lui avait déjà tourné le dos et commençait à prendre des notes.

— Au moins, vous êtes franc…

Il ne parut pas l'entendre. Ou, si ce fut le cas, il ne jugea pas utile de lui répondre. Un genou au sol, il étala les plans sur la moquette, et se pencha pour les étudier. Son jean délavé collait à ses cuisses musclées comme une seconde peau, et Cami se surprit de l'indécence soudaine de ses pensées. Réaction d'autant plus inutile qu'il semblait se moquer d'elle comme d'une guigne.

N'était-ce pas un enterrement de première classe pour un ego déjà passablement malmené ?

Avec un soupir, Cami quitta la pièce, et tenta de se persuader que le célibat avait du bon. D'abord, elle pouvait choisir le côté du lit qui lui plaisait. Elle pouvait aussi dormir en travers si cela lui chantait. Et elle n'avait pas d'efforts vestimentaires à faire. Elle pouvait même remettre indéfiniment les corvées de lessive et porter des vêtements tachés. Et elle pouvait se permettre quelques petits kilos en trop.

De toute façon, l'homme idéal n'existait pas. En tout cas, ce n'était sûrement pas monsieur je-ne-t'ai-même-pas-remarquée.

Même s'il était furieusement sexy avec son ceinturon de charpentier.

2.

Cami avait besoin d'une aspirine, d'un café et d'une douche, et pas nécessairement dans cet ordre. Peut-être alors aurait-elle assez d'entrain pour considérer d'un œil extatique les merveilleuses possibilités que lui offrait son avenir.

L'ennui, c'est qu'elle n'avait pas le temps. Il y avait un homme qui l'attendait, et ce n'était pas si fréquent. D'accord, c'était un artisan qu'elle avait engagé. Mais il n'empêche qu'il l'attendait.

Elle venait juste d'enfiler une paire de chaussettes et d'attraper un chemisier, quand le téléphone sonna. Affectant de ne pas l'entendre, elle se mit à chercher son pantalon. La dernière fois qu'elle l'avait aperçu, il traînait sur le sol. Bizarre ! Mais ça faisait partie des petits mystères de la vie, comme les clés qui ne restent jamais à l'endroit où on les a posées.

— Miaou.

— Je sais, dit Cami, en s'agenouillant pour regarder sous le lit. Tu as faim. Va donc demander à ton nouvel ami.

Annabel lui lança un regard outré, tandis que le téléphone continuait à sonner inlassablement.

— Allô ? cria Cami dans le combiné, tandis qu'elle mettait enfin la main sur son pantalon.

Taché, comme il fallait s'y attendre !

Une injure bien sentie lui échappa.

— Quel est donc ce langage, jeune personne ?

Parfait ! Il ne manquait plus que sa mère. Mi-italienne, mi-irlandaise, Sara-Lynn Anderson était probablement la femme la plus têtue et la plus autoritaire de cette planète. Ses deux passe-temps favoris consistaient à se mêler de la vie de Cami, et à prier pour le salut de son âme.

— Désolée, maman. Je ne savais pas que c'était toi.

Si elle l'avait su, jamais elle n'aurait décroché.

— Ce n'est pas grave, chérie. Ecoute, j'ai quelque chose à te dire.

Pas grave ? Cami venait d'employer une expression que sa mère réprouvait et, au lieu d'en faire tout un drame, cette dernière affirmait que cela n'avait pas d'importance. Soudain inquiète, Cami se laissa tomber sur le lit, les doigts serrés autour du combiné.

Quelqu'un devait être malade. Ou mourant. Ou déjà mort.

— Que se passe-t-il ?

— Mais… rien de spécial.

— Dis-moi, cria-t-elle, soudain aussi têtue et autoritaire que sa mère. Je serai forte.

— Qu'est-ce que tu racontes ? Je voulais juste te demander un service. Une mère peut bien appeler sa fille de temps en temps pour lui demander une petite faveur, non ?

Cami se sentit tellement soulagée qu'elle baissa aussitôt sa garde. Une grave erreur avec sa mère !

— Evidemment.

— Je voudrais que tu sortes…

— Oh, non !

Pas besoin d'avoir fait des études de physique nucléaire pour comprendre où elle voulait en venir.

— Il n'est pas question que j'aille à un de ces rendez-vous arrangés.

Lorsque Cami et Dimi avaient eu vingt et un ans, Sara-Lynn s'était sentie investie d'une mission divine : marier ses filles. Depuis, elle n'avait pas faibli un seul instant.

— Ce n'est qu'un tout petit rendez-vous, Cami. Un petit service que je te demande. Une toute petite soirée dans toute une vie.

— Beaucoup de petits peu font un grand tout.

Peut-être que, au fond d'elle-même, mais alors, tout au fond, Cami poursuivait le même rêve que sa mère : se marier, fonder une famille… Mais jamais elle ne l'admettrait devant la plus grande marieuse que la terre ait portée. Peut-être aussi avait-elle une peur bleue de tomber sur l'homme idéal. Faux ! Elle ne croyait pas à ces fadaises d'homme idéal.

— Ce n'est pas parce que tu viens d'obtenir ton diplôme que ton avenir est désormais tout tracé.

— Ne t'inquiète pas pour mon avenir.

— Tu as fait ta lessive ?

Cami jeta un regard fautif vers la pile de linge qui s'entassait dans l'angle derrière la porte.

— Quel est le rapport ?

— J'en conclus que tu ne l'as pas faite.

— Non. Et, je réponds non aussi pour le rendez-vous.

— C'est bien, ma fille.

La voix de Sara-Lynn changea de registre, se fit vulnérable, lourde de tristesse.

— Quand je pense aux vingt-quatre heures de souffrances atroces que j'ai endurées pour vous mettre au monde, toi et ta sœur…

— Et tu as failli en mourir, récita Cami en même temps que sa mère. Je sais, maman, tu me l'as répété des centaines de fois.

— Je ne suis plus toute jeune, tu sais. Qui sait combien de temps il me reste à vivre, gémit Sara-Lynn.

— Maman, arrête ! Tu nous enterreras tous.

— On dit ça, et puis…

— Maman, ça suffit, maintenant.

— Je ne demande pas grand-chose, pourtant. Un petit-fils ou une petite-fille. Je n'en exige pas cinq, comme tes tantes Bev et Cici, qui ont la chance d'être grands-mères, elles. Non, un seul me suffirait. Un petit poupon d'amour pour illuminer mes vieux jours. Mais, apparemment, c'est au-dessus de tes forces.

D'un geste las, Cami se massa les tempes. Un étau lui broyait le cerveau, et un bataillon de marteaux piqueurs avait entrepris de lui perforer la boîte crânienne.

— Ecoute, maman, tu sais que je t'aime, mais…

— Et en plus, il est très beau. Tu peux me croire.

— Qui ça ? demanda Cami, consciente soudain qu'elle avait raté une partie de la conversation.

— Ton rendez-vous ! Tu n'écoutes jamais rien, quand je te parle. C'est le neveu d'une de mes amies. Lucy, tu la connais, je crois ? Bref, il est très bien. Et il a merveilleusement réussi dans l'informatique. Il est… Comment appelez-vous ça ? Web-quelque chose.

— Web master.

Cami laissa échapper un soupir presque imperceptible, et leva les yeux au ciel. Comme si une intervention divine pouvait être de quelque utilité quand sa mère s'était mis quelque chose en tête !

— Tu sembles occupée, dit Sara-Lynn, de ce ton que savent si bien employer toutes les mères pour culpabiliser leurs filles. Sans doute trop occupée pour moi.

— Mais non, maman ! Seulement…

— Tant mieux. C'est vraiment un bon parti, tu sais. Je dirais même, le meilleur parti de l'année. Et…

Un bruit dans le salon attira l'attention de Cami, et la voix de sa mère se fondit dans un murmure qui n'atteignait même plus son cerveau. Elle avait failli oublier l'entrepreneur. Son sublime entrepreneur.

L'homme qui ne lui avait même pas accordé un regard !

A vingt-six ans, avait-elle perdu tout pouvoir de séduction ? Bien sûr, elle avait peut-être quelques petits kilos de trop, mais elle n'avait pas eu le temps de faire de sport depuis… depuis… A vrai dire, elle détestait le sport.

De toute façon, à supposer qu'elle ait le temps, et qu'elle se tue à faire de l'aérobic ou une autre torture du même genre, elle n'aurait jamais une silhouette de sylphide.

Ses cheveux n'étaient pas trop mal. Et ses dents non plus. Quelqu'un finirait bien par le remarquer.

— Lucy dit qu'il adore la région de Tahoe, et qu'il songe à s'y installer définitivement…

Cami n'était pas sortie avec un homme depuis… Depuis la nuit des temps. Triste constat, vraiment !

Mais le plus accablant dans cette histoire, c'était peut-être de se retrouver assise sur son lit, en chaussettes et petite culotte, à se demander s'il ne valait pas mieux accepter.

Après tout, il ne s'agissait que d'un rendez-vous. Avec un obsédé de l'informatique, ce qui supposait un minimum d'intelligence.

— Maman…

— Il paraît qu'il possède un portefeuille d'actions estimé à...

— Maman, tais-toi ! J'accepte.

— Quoi ? C'est vrai ? Tu es d'accord ?

— Oui, mais c'est la dernière fois. La toute dernière fois. Tu as bien compris ?

— Mais bien sûr ! Pour qui me prends-tu ?

Tanner étudiait les plans avec attention quand la propriétaire des lieux poussa la porte qui donnait sur le jardin et fit irruption dans la cuisine. Etrange ! Il aurait pourtant juré qu'elle n'avait pas quitté la maison. Plus étrange encore, son chat se mit à cracher, en faisant le dos rond.

Elle était déjà habillée, d'un tailleur vert amande, dont la sobriété évoquait la femme d'affaires. A ceci près que la jupe, courte et moulante, révélait des jambes époustouflantes. Elle était maquillée avec soin, et ses magnifiques cheveux blonds étaient disciplinés en un chignon sophistiqué, qui mettait en valeur l'ovale de son visage.

Elle avait fait incroyablement vite. D'habitude, il fallait des heures à une femme pour obtenir ce genre de résultat faussement naturel. Tanner en parlait d'expérience. Blonde, éthérée, un rien diva, sa mère semblait ne pas avoir assez d'une vie entière quand elle se préparait pour aller quelque part. Plus tard, dans ses années d'insouciance, Tanner avait papillonné de juvéniles évaporées en jeunes écervelées.

A trente-deux ans, il était désormais un peu plus exigeant dans ses relations sentimentales.

La plupart du temps.

Marquant une pause entre la cuisine et la salle à manger, la jeune femme ouvrit de grands yeux, visiblement surprise de le trouver là.

— Oh !

— Eh oui ! Toujours fidèle au poste.

Elle semblait complètement différente, dans son maintien, dans sa façon de le dévisager. Même ses yeux avaient changé de couleur, passant du noisette pailleté d'or à un marron presque noir. Est-ce qu'un peu de maquillage pouvait modifier à ce point un visage ?

— Oh, répéta-t-elle, ignorant le chat qui battait l'air de sa queue, visiblement mécontent.

De plus en plus bizarre ! Décidément, sa première impression était la bonne : cette pauvre fille n'avait pas toute sa tête.

— Vous aviez oublié que j'étais là ?

— Euh… oui. Je suppose que j'ai dû oublier.

Elle se mordilla la lèvre inférieure, pencha légèrement la tête de côté, et l'examina attentivement. Puis un sourire approbateur se dessina sur son visage. Non seulement elle semblait le découvrir pour la première fois, mais, à n'en pas douter, elle le trouvait à son goût. Et quelque chose disait à Tanner qu'elle avait l'habitude d'obtenir tout ce qu'elle voulait. Cela tenait sans doute à son expression confiante, et à quelque chose de résolument sensuel qui émanait de sa personne, comme si elle mesurait avec exactitude l'effet que produisait sur les hommes sa silhouette tout en courbes et en rondeurs.

Sa maturité nouvellement acquise, celle qui lui faisait préférer un revenu stable à une aventure sans lendemain, enjoignit à Tanner de ne pas s'engager sur un terrain manifestement miné.

Pour commencer, il exerçait de nouveau le métier qu'il adorait, après une année épouvantable, émaillée de drames familiaux.

Et puis, la maison de Cami Anderson était une vraie merveille. Il en salivait presque à l'idée de restaurer cette vieille bâtisse plus que centenaire. Malgré les outrages du temps, le climat violent des Sierras, et le goût désastreux de ses propriétaires successifs, la maison offrait un vrai potentiel.

Et Tanner brûlait de se mettre au travail. En dépit de mademoiselle folle-à-lier.

— Hum..., reprit la jeune femme, en continuant à se mordiller la lèvre. Rappelez-moi ce que vous venez faire ici.

Tanner éclata de rire, puis sa bonne humeur s'évanouit en voyant que Cami gardait son sérieux.

Bon sang ! Elle était vraiment cinglée.

— Travailler, articula-t-il, d'un ton prudent.

— Travailler, répéta la jeune femme, comme si ce mot n'évoquait rien de connu. Vous voulez bien m'excuser un instant ?

Avant que Tanner ait eu le temps d'esquisser un mouvement, elle disparut dans le couloir. Vers ce qu'il supposait être la chambre.

Existait-il une autre sortie que ne mentionnaient pas les croquis ? Ou était-elle tout simplement passée par la fenêtre ?

— Complètement désaxée, grommela-t-il, avant de reporter son attention sur le plan.

Dimi fit irruption dans la chambre de Cami, comme une tornade.

— D'abord, dit-elle à sa sœur, qui était toujours occupée à s'habiller, tu vas me rendre mon rouge à lèvres. J'en ai marre que tu me voles toujours mes affaires.

Cami ignora superbement sa jumelle, et tenta de remonter la fermeture à glissière de son pantalon. Bon sang, il fallait vraiment qu'elle arrête de manger des beignets au petit déjeuner !

Vacillante, elle se laissa tomber à plat sur le lit et retint sa respiration. Ça y est, ce fichu pantalon était enfin fermé. Mais pour combien de temps ?

— Et deuxièmement... Dimi eut un petit sourire narquois. Qui est cet apollon dans la salle à manger ?

— Quoi ?

Dimi eut un geste vers le couloir.

— Je ne sais pas si tu es au courant, mais il y a là un type absolument fabuleux, avec un sourire à tomber par terre.

— Oh, lui ! Je l'avais complètement oublié.

— Menteuse ! Tu sais qu'il m'a prise pour toi ?

— Tu l'as détrompé ?

— Tu plaisantes ! Pourquoi voudrais-tu que je renonce à une si belle occasion de m'amuser ?

— Tu n'as pas du travail ?

— Si.

Dimi s'empara du sac de sa sœur, posé à côté de la commode, en renversa le contenu sur le lit, et récupéra son rouge à lèvres.

— Et toi, tu n'as rien à faire ?

— J'aimerais bien, mais les clients ne se bousculent pas.

— J'essaie de convaincre mon boss de redécorer le plateau.

— C'est vrai ? Oh, merci !

Surexcitée à l'idée de travailler sur le décor de l'émission culinaire animée par Dimi, Cami se jeta sur sa sœur jumelle et l'étreignit de toutes ses forces.

— Hé, du calme ! Tu me remercieras quand tu auras le job.

Après avoir remis un peu d'ordre dans sa tenue, Dimi se dirigea vers la porte.

— Au fait, j'allais oublier. Ça te dirait de sortir à quatre, ce week-end ? Le garçon que j'ai rencontré à la boulangerie a justement un frère célibataire.

— J'ai déjà accepté de sortir avec le neveu d'une amie de maman, avoua Cami, avec un gros soupir.

— Tu t'es encore fait avoir ?

Dimi lui semblait tout à coup incroyablement supérieure. Et pas uniquement parce qu'elle portait un coûteux tailleur, alors qu'elle-même n'avait rien trouvé d'autre à mettre qu'un pantalon taché et un chemisier chiffonné.

— Combien de fois t'ai-je dit de filtrer tes appels ?

— Il paraît qu'il n'est pas si mal que ça, protesta Cami, pour sa défense.

Dimi l'enveloppa d'un regard plein de commisération.

— A ta place, je me méfierais. Tu sais bien que maman possède un goût plus que douteux quand il s'agit des hommes.

— Tu exagères !

— Tu crois ? Tu as déjà oublié Ed ? La seule chose qui le différenciait d'un gorille, c'est qu'il était capable de parler. Et encore…

La liste de ses rendez-vous, plus pathétiques les uns que les autres, défila dans l'esprit de Cami, qui se laissa tomber sur son lit, dépitée.

— Quel est notre problème, à ton avis ?

— En ce qui me concerne, je n'en ai aucun. Mais toi, tu es vraiment un cas.

— Je te remercie.

D'un geste de la main, Dimi désigna la salle à manger.

— Et monsieur muscles ? Pourquoi tu ne sortirais pas avec lui ?

Pour toute réponse, Cami arbora une grimace frustrée.

— Que s'est-il passé ? insista Dimi, pressentant le scoop. Et ne réponds pas « rien », parce que je vois sur ton visage qu'il s'est passé quelque chose.

— Bon, d'accord ! Tu veux vraiment savoir ? J'ai ouvert la porte nue, et monsieur muscles ne m'a même pas regardée.

— Il ne t'a pas regardée, ou il s'est montré poli ?

— Dimi, je te dis que j'étais nue. Il n'est pas question de politesse dans ce cas-là.

— Tu peux me donner ta définition du mot « nue » ?

— J'étais enroulée dans une couverture, mais elle n'arrêtait pas de glisser.

Dimi hocha la tête.

— Pourquoi faut-il que tous les beaux garçons soient gays ?

— Je n'en sais rien, dit Cami, accablée à l'idée de voir lui échapper ce pur concentré de masculinité. C'est pour ça que j'ai accepté le rendez-vous organisé par maman. Je n'ai personne d'autre en vue.

— Tu ferais mieux de refuser, Cami. Ces derniers temps, tu ne fais qu'accumuler les rencontres arrangées. Ça ne peut pas marcher. On dirait que tu cherches à tout prix l'échec.

— Pas du tout.

— Mais si ! Tu es terrorisée à l'idée de t'engager.

— C'est curieux, la dernière fois que je t'ai vue, tu présentais une émission culinaire à la télévision. Je ne savais pas que tu t'étais reconvertie dans la psychanalyse.

— Ta peur est alimentée par les sept mariages de papa, continua Dimi, imperturbable. Et par l'incapacité de maman à se trouver un homme. N'importe qui peut s'en rendre compte, sauf toi. Je t'en prie, arrête les rencontres arrangées.

— Je te signale que tu viens juste de me demander d'accompagner le frère d'un ami.

— C'était pour me rendre service, pas pour essayer de te caser avec quelqu'un. Maintenant, écoute-moi : il est temps que tu surmontes tes peurs, et que tu cherches toi-même l'homme de ta vie.

— Ecoutez la déesse de l'amour, qui n'est pas sortie avec un homme depuis deux ans !

— Un an, corrigea Dimi, quelque peu vexée. Et ce n'est pas une question de peur. Je n'ai tout simplement pas trouvé celui qu'il me faut.

— Mais tu m'agaces, à la fin. Puisque je te dis que je n'ai pas peur.

— Ah bon ? Alors, pourquoi acceptes-tu de rencontrer tous ces hommes, dont tu sais très bien que pas un ne correspond à tes goûts ?

Parce qu'elle était tout bonnement navrante. Mais ce n'était quand même pas sa faute si elle avait peur de renoncer à sa bienheureuse liberté.

— C'est le dernier, je te promets.

— Oui, c'est ça !

— Vraiment, je t'assure.

— Appelle maman, et annule le rendez-vous.

— Tu es folle ? Je tiens à la vie, moi.

— Parfait, déclara Dimi, avec une moue dégoûtée. Agis à ta guise. Mais, s'il a des dents de cheval, une haleine assortie, et une perruque ridicule, ne viens pas te plaindre.

— D'accord.

— Bien. Et tu n'auras qu'à t'acheter ton propre rouge à lèvres, conclut Dimi, avant de sortir en claquant la porte.

3.

Ils signèrent le contrat et, par précaution, Tanner exigea de Cami qu'elle paie d'avance la première tranche des travaux. Il fut convenu qu'il s'attaquerait d'abord à la chambre et à la salle de bains attenante, ainsi qu'à la minuscule chambre d'amis. Puis, viendrait le tour du salon, de la salle à manger, de la cuisine, et de la salle d'eau. Enfin, il referait complètement la vieille terrasse de bois qui donnait sur le lac. Bancale, rongée d'humidité, toute la structure était à reprendre avant que sa cliente ne puisse y prendre des bains de soleil en toute sécurité.

Quelque chose lui disait qu'elle adorait sentir la caresse du soleil sur sa peau, et il ne pouvait s'empêcher de l'imaginer en maillot de bain. Un minuscule Bikini rouge dévoilant ses courbes voluptueuses...

Pourquoi avait-il fallu qu'il pense à ça ? Cette image allait alimenter ses rêveries sensuelles pour le reste de la journée. Ou pour les deux mois qu'il avait à passer dans cette maison...

La première tranche lui prendrait au moins deux semaines. Ce qui allait obliger Cami à dormir sur le canapé. Elle prétendait ne pas s'en soucier, pas plus qu'elle ne s'inquiétait à l'idée de vivre au beau milieu d'un chantier de démolition. Mais il aurait pu jurer qu'elle n'avait pas la plus petite idée de ce qui l'attendait. Bien qu'elle fît, en quelque sorte, partie du métier, elle était comme tout le monde. Ce qu'elle voulait, c'est que le travail soit fait le plus vite possible. Si seulement elle avait pu prendre quelques vacances ! Mais non, elle avait décidé de s'investir totalement dans cette rénovation, de suivre chaque étape avec un soin jaloux.

Quelle chance !

C'est donc quelque peu inquiet qu'il se présenta mercredi matin au domicile de sa cliente, accompagné de quatre ouvriers.

Cami lui ayant bien fait comprendre qu'elle n'était pas particulièrement matinale, il abandonna son équipe dans la cuisine et jeta un œil dans la chambre, ainsi que dans la salle de bains principale. Comme convenu, la jeune femme avait mis en cartons toutes ses affaires, ne laissant dans la pièce que les meubles les plus lourds, à charge pour eux de les déplacer. La maison semblait déserte, et il en conclut qu'elle avait fini par se ranger à son avis. Vaguement soulagé, il appela ses hommes, et ils se mirent à la tâche sans plus tarder.

Le bruit était assourdissant, tandis qu'ils faisaient tomber les plâtres qui recouvraient la charpente, mais Cami avait probablement averti ses voisins. Et, dans la mesure où personne n'était venu se plaindre, Tanner et son équipe continuèrent de plus belle.

Retrouver le goût familier du travail, le poids des outils dans ses mains, imaginer le parti qu'il pourrait tirer de cette bâtisse, lui procurait un incroyable sentiment d'euphorie. Il en avait été privé depuis bien trop longtemps. Non qu'il regrettât d'avoir pris une année sabbatique pour s'occuper de son père durant sa maladie. Il trouvait ça normal. C'était son devoir. Mais son job lui avait manqué, mentalement et physiquement.

Après deux heures d'efforts, dans un air saturé de poussière, Tanner se dirigea vers la cuisine, la gorge sèche comme du carton. Tandis qu'il buvait un verre d'eau, appuyé contre le comptoir, il remarqua le chat de sa cliente qui mâchonnait quelque chose avec délectation. Quelque chose qui ressemblait étrangement à une des pochettes du ceinturon de cuir qui lui servait à transporter ses outils les plus courants.

— Espèce de sale bête, tu vas...

Avant qu'il ait eu le temps d'ajouter autre chose, la porte arrière de la maison s'ouvrit et sa cliente se rua dans la cuisine, l'air préoccupé. Sans même lui accorder un regard, elle passa devant lui et se dirigea vers sa chambre en marmonnant :

— Je suis en retard, je suis en retard. Ce n'est pas le bon rouge à lèvres. Je vais rater mon rendez-vous.

— Nous avons commencé la démo...

Un cri strident interrompit Tanner.

— Zut ! J'avais complètement oublié.

Sur ces mots, la jeune femme rebroussa chemin et s'en fut comme elle était venue.

Sans même lui avoir adressé la parole.

— Charmante maîtresse que tu as là, dit-il à Annabel. Vraiment aimable. Et arrête de tourner autour de mes sandwichs, je ne nourris pas les méchants chats qui déchirent des ceintures hors de prix.

Souriant à l'idée qu'il se mettait à parler aux animaux comme une vieille dame en mal d'affection, Tanner quitta la pièce, décidé à se remettre au travail.

Annabel lui emboîta aussitôt le pas, puis se mit à zigzaguer entre ses jambes, manquant lui faire perdre l'équilibre.

— Fiche le camp ! Pas d'animaux sur les chantiers.

Avec un air de profond dédain, l'animal sauta sur les cartons empilés dans le couloir et entreprit de faire sa toilette.

Au même moment, un cri horrifié retentit à travers toute la maison. Ça ne pouvait venir que de la salle d'eau, et Tanner se précipita vers la porte. Il l'avait à peine entrouverte, qu'on la repoussa avec force.

— Je suis nue, protesta Cami, d'un ton outré.

Il ne manquait plus que ça, songea Tanner, en reculant d'un pas. La dernière fois qu'il avait vu des clients nus, il s'agissait d'un couple qui faisait l'amour dans leur lingerie. Ils étaient plutôt âgés, blancs comme des endives, et passablement laids. Aujourd'hui encore, il en faisait des cauchemars.

Que Cami soit seule, du moins l'espérait-il, qu'elle soit jeune et incroyablement séduisante ne le consolait pas davantage.

C'était insupportable cette manie qu'avaient les clients de se promener nus chez eux.

— Je n'ai pas de serviette.

— Quoi ?

— Je dis : je suis nue, je sors de la douche, et je n'ai pas de serviette.

Il n'en fallut pas davantage à Tanner pour imaginer la salle d'eau emplie de vapeur, le corps ferme de Cami constellé de milliers de gouttelettes étincelantes, ses cheveux ruisselants d'eau…

Finalement, il pouvait peut-être faire une entorse à son principe de non-nudité chez les clients.

— Vous pourriez me donner une serviette ? s'impatienta Cami.

— D'accord. Où sont-elles ?

— Dans les cartons.

Tanner jeta un regard inquiet vers la pile amoncelée dans le couloir.

— Vous avez quelque chose contre le séchage à l'air libre ?

Un bruit mat lui parvint, et il devina qu'elle appuyait la tête contre la porte.

— Dites, on ne pourrait pas renégocier les horaires ? Disons midi. Vous pourriez commencer à travailler à midi.

— A ce rythme-là, nous n'aurons jamais fini. Et puis, je ne comprends pas. Vous étiez habillée, vous parliez d'un rouge à lèvres et d'un rendez-vous. Pourquoi prenez-vous une douche maintenant ?

— Quel... Aucune importance ! Apportez-moi cette fichue serviette.

Tanner fouilla pendant quelques minutes dans les cartons, et revint frapper à la porte, qui s'entrebâilla.

— Fermez les yeux !

Tanner eut juste le temps de passer la serviette dans l'ouverture, et faillit recevoir le battant sur le nez.

— Fichez le camp, maintenant !

Le lendemain de l'incident avec la serviette, qui était aussi le soir du rendez-vous — merci, maman —, Cami déposa ses dossiers sur la table de cuisine, avec l'intention d'appeler deux de ses futurs clients. Il régnait dans toute la maison un désordre indescriptible. De la poussière, des outils dans tous les coins…

— Penser à nettoyer avant le rendez-vous, murmura Cami pour elle-même, avant d'émigrer vers le seul endroit encore acceptable : la salle d'eau.

Le téléphone dans une main, son ordinateur portable et ses dossiers sous le bras, elle s'installa sur la cuvette des toilettes.

Ce travail tombait à point pour lui changer les idées. Au moins, elle ne penserait pas à son découvert à la banque, ni à sa monstrueuse facture de téléphone, ni à son rendez-vous de ce soir.

Et encore moins au fait que Tanner ne lui accordait toujours pas la moindre attention.

A la réflexion, ce rendez-vous ne tombait pas si mal. C'était peut-être pitoyable, mais elle avait besoin de vérifier son pouvoir de séduction sur les hommes. Et n'importe qui ferait l'affaire.

En attendant, elle devait se mettre au travail. Avec un soupir, elle commença à composer un numéro, tout en jetant machinalement un regard vers le couloir.

Tanner se tenait à l'autre extrémité, son lecteur de CD à la ceinture, le casque vissé sur ses oreilles. Les vociférations d'un chanteur de hard rock lui parvenaient, vaguement assourdies, mais ce n'était pas cela qui la captivait.

Il était à genoux, penché en avant, lui offrant une vue imprenable sur son admirable fessier. Le cuir de ses bottes était usé, fendillé, l'ourlet de son jean s'effilochait et l'étoffe était devenue si fine, qu'elle ne laissait rien ignorer de sa puissante musculature. Il avait des jambes extraordinaires, longues, puissantes. Et des bras qui donnaient envie de s'y blottir. Mais que dire de ses fesses ? Et de la bande de peau hâlée qui dépassait au-dessus de sa ceinture ?

Elle avait des picotements dans les doigts, tant elle mourait d'envie de le toucher.

Pathétique ! N'avait-elle rien de mieux à faire que de loucher sur les fesses de son entrepreneur, comme une femme qui n'avait pas fait l'amour depuis des mois ?

Elle n'avait pas fait l'amour depuis des mois !

Comme s'il avait conscience de l'intérêt qu'il suscitait, Tanner tourna brusquement la tête.

Cami s'empressa de détourner le regard. Il n'aurait plus manqué qu'elle se laisse surprendre en train de saliver comme un chien devant un os.

Tanner se leva et rabattit les écouteurs autour de son cou. Son T-shirt bleu ciel moulait ses pectoraux comme une seconde peau, et Cami se demanda s'il y avait la moindre chance qu'il éprouve le besoin de l'ôter.

— Drôle d'endroit pour travailler, remarqua-t-il.

— Je n'ai pas le choix. Il me reste encore une montagne de choses à faire avant ce soir.

— Pourquoi ce soir ?

Cami n'avait pas eu l'intention de parler de son rendez-vous, mais si Tanner travaillait tard, ainsi qu'il l'avait fait la veille, il découvrirait de toute façon la vérité.

— Je sors.

— Ah !

L'étincelle ironique qui brillait dans ses yeux d'ambre fit aussitôt réagir la jeune femme.

— Eh bien, quoi ? Les rencontres arrangées sont monnaie courante.

Un sourire ouvertement moqueur accueillit cette information.

— Parce que c'est une rencontre arrangée ? Vous avez un problème avec les hommes ?

— Moi ? Sûrement pas !

— C'est sans doute à cause de votre manque d'humour.

— Pour votre information, sachez que j'ai un sens de l'humour particulièrement développé.

— Hum hum !

— J'étais le boute-en-train de mon lycée, lui apprit-elle, d'un air hautain qui ne fit que renforcer l'hilarité de Tanner.

— Qui s'est occupé de votre rendez-vous ?

— Ma mère, admit-elle à regret.

Et, tandis que Tanner riait à gorge déployée, elle ajouta entre ses dents :

— C'est un service que je lui rends.

— Donc, vous n'avez pas envie d'y aller ?

— Pas vraiment.

— Vous n'avez qu'à annuler, remarqua-t-il, avec un haussement d'épaules.

— On voit bien que vous ne connaissez pas ma mère.

— Ce n'est pas le problème. La question est de savoir ce que vous voulez ou non. Personne n'a jamais décidé quoi que ce soit à ma place.

Oh, très bien ! Parfait ! C'était un homme fort, déterminé, capable d'affronter la vie sans jamais reculer devant l'adversité. Admirables traits de caractère, sans doute. Surtout comparés à sa propre faiblesse.

— Même pas votre mère ?

Une ombre passa dans les yeux de Tanner, à l'instant si rieurs, trahissant une peine secrète.

— Ma mère est morte quand j'avais dix ans.

Quelle idiote ! Elle se serait giflée.

— Je suis vraiment désolée.

— Pas autant que moi.

— Il vous reste de la famille ?

— Uniquement mon père.

— Vous êtes proches ?

Il haussa les épaules, trop fier pour laisser transparaître ses émotions.

— Plus ou moins. Davantage depuis qu'il a eu sa crise cardiaque.

Décidément, elle s'enferrait de plus en plus. Mais les questions se bousculaient dans sa tête. Soudain, elle aurait voulu tout connaître de cet homme assez sûr de lui pour imposer son opinion sans se soucier des conséquences.

— Excusez-moi. Je suis décidément indiscrète.

— Bah… Il va beaucoup mieux. Ça nous a pris une année, mais il a retrouvé sa forme et son autonomie.

— Vous voulez dire que… vous vous êtes occupé de lui ?

— Vous semblez choquée. Je peux me rendre très utile dans une maison, vous savez.

Elle n'en doutait pas un instant.

— Quoi qu'il en soit, mes parents n'ont jamais rien décidé à ma place. Ils ont voulu très vite me rendre autonome.

Vexée, Cami se rembrunit.

— Mais je le suis aussi. Je suis très capable de prendre seule mes décisions.

— Très bien.

— Très bien, répéta-t-elle.

Puis, sans s'occuper davantage de Tanner, elle composa le numéro de son client. De son futur client, serait-il plus juste de dire, mais elle avait bien le droit d'espérer.

— Madame Brown ? Cami Anderson à l'appareil. Je voulais faire le point avec vous. Avez-vous eu le temps d'étudier mes ébauches ?

— Oh, désolée, ma chère petite, mais notre fils vient d'arriver de Seattle, et vous savez ce que c'est…

Non, elle ne savait pas. Mais sa courte expérience en matière de clientèle lui avait appris que plus l'attente se prolongeait, plus les chances de signer le contrat étaient compromises.

— J'avais espéré que vous pourriez y jeter un œil avant…

— Je suppose que je pourrais, susurra Mme Brown, d'un ton lourd de duplicité. En échange d'un petit service.

Oh oh !

— Mon fils vient juste d'avoir trente ans, et il se sent un peu seul ici, loin de ses amis…

Oh oh, puissance dix !

— Imaginons que vous puissiez sortir avec Joshua, disons… je ne sais pas, moi… ce soir, ça me laisserait du temps pour étudier votre devis.

Du coin de l'œil, Cami vérifia ce que faisait Tanner. Le dos tourné, il travaillait avec assurance et précision, sans paraître prêter la moindre attention à la conversation. Son ceinturon de cuir se balançait doucement autour de ses hanches, au rythme de ses mouvements, faisant s'entrechoquer les outils. Dieu que cet attirail pouvait être sexy !

— Je ne suis pas libre ce soir, dit-elle, revenant à des préoccupations plus immédiates.

— Eh bien, disons demain.

— Je ne sais pas si c'est très recommandé, hésita Cami. Sortir avec le fils d'une cliente...

— Juste une fois. Rien qu'un inoffensif petit rendez-vous.

Pas possible ! Cette femme devait être une lointaine cousine de sa mère.

— Madame Brown...

— Je double votre budget.

Le cher fils devait avoir un sérieux problème. Mais, à ce prix-là, elle aurait pu dîner avec Quasimodo. Et puis, ce n'était que pour un soir.

— Pourquoi pas...

— Formidable. Vous ne le regretterez pas.

Bizarrement, quelque chose lui disait que si.

— Un seul rendez-vous, précisa-t-elle. Après-demain soir.

A ces mots, Tanner étira le cou, le buste tendu en arrière, et lui adressa un regard réprobateur.

Dans le silence, Cami entendit alors un bruit d'étoffe qui se déchirait.

Tanner tourna la tête, pour constater les dégâts. Le dos de son T-shirt venait de se prendre dans un long clou qui dépassait du mur, et, à la vue de cette bande de peau brune révélée par la déchirure, Cami sentit sa bouche devenir sèche comme du carton.

— Vous n'aurez qu'à venir à la maison le lendemain, annonça Mme Brown à son oreille. A l'heure du thé. Vous aimez le cheesecake ?

— Oh, oui ! répondit Cami avec enthousiasme. J'adore les beaux mecs.

Tanner lui adressa un de ces regards ironiques dont il avait le secret, et elle se sentit rougir.

— Le cheesecake, s'empressa-t-elle de corriger. J'adore le cheesecake. Avec du thé.

Le visage brûlant, elle ne pouvait détacher les yeux de Tanner, qui la contemplait avec amusement.

— A dimanche, promit-elle à sa cliente, avant de raccrocher.

— Du thé avec le cheesecake, murmura Tanner, quelle combinaison audacieuse ! Et, avec vos « beaux mecs », vous prenez quoi ?

— Oh, c'est malin ! Ça arrive à tout le monde d'avoir la langue qui fourche, de temps en temps.

— Mouais.

Il ôta son T-shirt déchiré, et Cami ne put s'empêcher d'admirer son torse puissamment musclé, à la peau hâlée et incroyablement veloutée.

Soudain, il lui semblait que l'air devenait irrespirable. Probablement à cause de la poussière occasionnée par les travaux, essaya-t-elle de se convaincre.

— Et vous avez souvent la langue qui fourche pendant vos petits rendez-vous ?

— Je ne fais pas trop usage de ma langue dans ce cas précis, répondit-elle, sans réfléchir.

Un rire moqueur accueillit sa remarque.

— Intéressant !

— Je ne vois pas en quoi ça vous regarde, s'énerva Cami.

Elle en avait assez qu'il s'amuse à ses dépens, à la fin ! Ou bien n'était-ce pas plutôt contre elle-même qu'était dirigée sa colère ? Elle se sentait déjà assez ridicule avec son visage écarlate. Pourquoi fallait-il en plus qu'elle se mette à transpirer à grosses gouttes ? Dimi, elle, aurait su garder son sang-froid. Sa sœur était tellement plus sereine, plus élégante… plus tout !

Elle sentit le regard de Tanner la jauger avec une lenteur exaspérante.

L'éclat de son regard, le demi-sourire qui laissait entrevoir ses dents très blanches lui faisaient penser à un prédateur en chasse.

Manifestement, il avait conscience de l'effet qu'il lui faisait, et en tirait une certaine vanité.

— Alors, comme ça, vous avez encore accepté un rendez-vous arrangé ? Je me demande pourquoi une femme telle que vous a besoin de ça.

— Moi, je n'ai besoin de rien. Ce sont les autres qui se croient autorisés à me demander sans cesse des services.

— Et vous ? Est-ce que quelqu'un se soucie de ce dont vous avez envie ?

— Je… je n'en sais rien. Je ne crois pas, non, répondit Cami, qui n'avait jamais envisagé la question sous cet angle.

— Pensez-y, la prochaine fois que votre langue fourchera.

Deux minutes avant l'arrivée de Ted, Tanner fit irruption dans la cuisine, couvert de poussière des pieds à la tête.

— La démolition n'est pas la partie la plus agréable, dit-il d'un ton d'excuse. Mais nous faisons notre possible pour ne pas salir toute la maison.

C'était exact. Et Cami, qui n'était pas précisément fanatique des tâches ménagères, lui en savait gré.

— Il n'y a rien à redire, reconnut-elle, tout en se demandant s'il allait faire un commentaire sur sa tenue.

Que le diable l'emporte ! Il ne lui avait même pas accordé un regard. Il se contentait de siroter son verre d'eau, appuyé contre l'évier.

Depuis la puberté, qui s'était produite infiniment trop tôt à son goût, les hommes n'avaient jamais manqué de remarquer son corps. Pas Tanner.

Elle n'aurait su dire pourquoi elle accordait autant d'importance à ce détail, dans la mesure où elle avait décidé qu'il n'était pas du tout son genre. En tout cas, elle voulait qu'il la regarde, qu'il lui fasse part de son admiration.

Avec sa robe à fines bretelles, dont l'étoffe fluide dansait autour de ses jambes, et ses sandales à hauts talons, elle se sentait belle. Et elle voulait que Tanner le remarque.

— Vous avez l'air…

Avalant une dernière gorgée d'eau, il laissa sa phrase en suspens.

— Oui ?

— Pourquoi vous prêtez-vous à cette mascarade ?

Cami dissimula sa déception derrière une petite moue désinvolte.

— Disons que j'éprouve certaines difficultés à dire non.

Tanner posa lentement son verre sur l'évier. Puis, croisant les bras, il prit le temps d'étudier la jeune femme. Elle était pour lui une véritable énigme. Premièrement, elle prétendait manquer d'autorité. Mais il l'avait entendue négocier pied à pied avec des fournisseurs. Il l'avait vue houspiller ses ouvriers et les amener à faire exactement ce qu'elle voulait. Et lorsqu'il s'agissait de choisir les peintures ou les tissus, il valait mieux ne pas se risquer à la contredire. Deuxièmement, elle n'avait rien d'une femme timide, calme, effacée, et elle laissait pourtant les gens qu'elle aimait lui marcher sur les pieds.

— Ça doit être quelque chose, dit-il d'un ton badin, si vous n'êtes pas capable de dire non à la fin du dîner.

Comme chaque fois qu'il la taquinait, Cami redressa le menton d'un air hautain.

— J'y arrive très bien à ce moment-là, je vous remercie.

— Puisque vous y arrivez si bien, pourquoi n'êtes-vous pas capable de…

Cami poussa soudain un petit cri, et se jeta à genoux sur le sol.

— Non, Annabel, non !

A quatre pattes, elle poursuivit l'animal à travers la cuisine.

Abasourdi, Tanner la regardait se traîner dans la poussière, sans se soucier de salir sa robe.

— Mais, qu'est-ce que…

— Elle est en train de chasser une pauvre petite araignée.

Tanner leva les yeux au ciel, tandis que Cami saisissait Annabel par la peau du cou.

— Ça suffit, vilaine ! Fiche le camp !

Tandis que le chat détalait, en miaulant sa désapprobation, Cami se releva pour prendre une tasse et un morceau de papier. Puis, s'agenouillant de nouveau, elle poussa l'araignée dans cet abri de fortune. Elle ouvrit la porte de la cuisine, déposa la bestiole dans la pelouse, et revint en époussetant sa robe.

— Quoi ? dit-elle, en constatant que Tanner l'observait avec incrédulité.

La sonnette de l'entrée retentit avant qu'il ait eu le temps de répondre.

— J'espère au moins qu'il n'est pas chauve, murmura Cami, en blêmissant.

— Vous pouvez toujours changer d'avis.

— J'ai promis.

Tandis qu'elle se dirigeait vers la porte, Tanner lui emboîta le pas. Il détestait lui voir cette mine déconfite, détestait l'idée qu'elle se sacrifie pour les autres. Et il se haïssait encore plus de se soucier autant d'elle.

— Je peux aller ouvrir toute seule, observa Cami.

— D'accord. Ouvrez la porte, et dites que vous avez changé d'avis.

— Je ne peux pas.

— Bien sûr que si.

— Non.

— A votre guise. Si vous aimez vous faire manipuler, c'est votre droit le plus strict…

4.

Cami ne tint aucun compte de sa réflexion, et Tanner insista.

— Annulez, murmura-t-il à son oreille.

— Ne me collez pas comme ça, s'impatienta Cami. Vous me faites perdre mes moyens.

— Vraiment ?

Sa fierté masculine s'en trouva secrètement renforcée, et il réalisa soudain à quel point ils étaient proches. Si proches que son torse lui effleurait le dos, que ses lèvres touchaient presque sa nuque. Le parfum délicat de la jeune femme, mélange de shampooing et d'eau de toilette, l'enveloppait jusqu'au vertige et lui donnait l'envie d'enfouir son visage au creux de son épaule, dans cette vallée de peau soyeuse qui ne demandait qu'à recevoir des baisers.

Troublé, il relâcha doucement son souffle, et la sentit frissonner.

Déconcerté par cette réaction totalement inattendue, il s'efforça de contrôler le désir fou qu'il avait de l'attirer dans ses bras. Durant l'année passée à s'occuper de son père, il s'était un peu tenu à l'écart du monde. Il avait bien fait quelques rencontres, mais aucune n'avait provoqué en lui un tel tumulte de sensations. Et cela n'avait rien de rassurant.

— Je dois y aller, murmura Cami, d'une voix frémissante.

— Dites que vous êtes allergique aux restaurants, que vous êtes prise de tremblements nerveux rien qu'en voyant un maître d'hôtel, que vous bavez en mangeant…

— Très élégant, remarqua-t-elle, en redressant les épaules.

Fasciné, Tanner regarda la bretelle de sa robe glisser sur sa peau satinée et, avant d'avoir eu le temps de réfléchir, il releva la fine attache de tissu, effleurant du bout des doigts l'épaule de Cami.

Elle frissonna de nouveau, preuve qu'il n'était pas le seul à percevoir la tension sensuelle entre eux.

— Dites que vous vous êtes trompée, que vous aviez déjà promis votre soirée à quelqu'un d'autre.

Le regard de Cami se posa sur lui, sombre et mystérieux. Bon sang ! Il aurait pu se noyer dans ses yeux, si elle n'était pas aussi exaspérante.

— Je n'ai rien d'autre de prévu.

— Je pourrais vous inviter à dîner.

— Quoi ?

Il devait être fou. C'était la seule façon d'expliquer pourquoi sa bouche prononçait des mots que son cerveau désapprouvait.

— Après tout, j'étais là le premier.

— Quel hypocrite ! Je sais très bien que vous ne m'aimez pas beaucoup.

— Au contraire !

— Ah oui ? Citez quelque chose que vous appréciez chez moi.

— Eh bien…

— C'est ce que je pensais !

— Attendez. Laissez-moi le temps de réfléchir.

— Arrêtez de me faire perdre mon temps. Je ne pourrais pas sortir avec vous, même si vous m'aimiez bien. Nous sommes beaucoup trop différents.

— En quoi ?

— Vous écoutez de la musique beaucoup trop violente et bruyante.

— Et vous, vous écoutez de la musique qui me fait grincer des dents. Ce n'est pas pour ça que je vous en veux.

— D'accord, très bien. Vous voulez une vraie raison ? Vous êtes un lève-tôt.

Elle avait dit ça comme s'il était le pire criminel de la terre, et il ne put retenir un sourire.

— Je pourrais vous apprendre à aimer les matins, dit-il d'une voix suggestive.

— Ne me parlez pas avec cette voix-là.

— Quelle voix ?

— Celle qui me fait perdre tous mes moyens.

— Décidément, je ne peux rien faire.

— Taisez-vous, maintenant.

D'un geste décidé, Cami ouvrit la porte sur un homme souriant. Et indéniablement pourvu de cheveux, remarqua Tanner. Dommage qu'il soit coiffé comme un porc-épic, affublé d'horribles lunettes, et qu'il ressemble à un adolescent un peu benêt.

D'un regard furtif par-dessus son épaule, Cami sembla le défier de faire la moindre remarque, et il s'offrit le luxe d'un sourire innocent.

A quoi bon souligner l'évidence ?

Cami fit les présentations et, tandis que les deux hommes se serraient la main, elle s'éclipsa pour aller chercher son sac.

Tanner la rejoignit dans la cuisine, pas mécontent de montrer qu'il disposait de ses mouvements, tandis que Ted n'avait d'autre choix que d'attendre poliment à la porte.

— Surtout, pas un mot ! lui conseilla sèchement Cami.

D'un geste nerveux, elle saisit son sac, et trouva le moyen d'en renverser le contenu sur le comptoir.

Un tube de rouge à lèvres, détailla mentalement Tanner, une brosse et un trousseau de clés...

Oh ! Et un préservatif.

Tanner saisit la pochette entre le pouce et l'index et la souleva à hauteur des yeux.

— Je croyais que vous étiez capable de dire non à la fin du dîner, remarqua-t-il, d'un ton détaché.

Cami s'empara de son bien, et l'enfouit au fond du sac.

— De nos jours, une femme doit savoir prendre ses précautions.

L'idée qu'elle puisse faire l'amour avec ce type grotesque — avec n'importe quel homme, en fait — lui donnait envie d'enfermer la jeune femme à double tour dans sa salle de bains.

C'était complètement ridicule ! En quoi la vie privée de sa cliente le concernait-elle ? Il était là pour travailler.

— Je suis d'accord avec vous. Mais pourquoi un seul préservatif ? Je vous trouve bien pessimiste. A moins que vous ne tombiez que sur de bien piètres amants. Il n'est pas interdit de recommencer, vous savez.

Le visage de Cami s'empourpra, et elle baissa les yeux.

— Vous devenez vraiment indiscret.

— Je ne vois pas en quoi. Le sexe est une forme de communication comme une autre. Il n'y a rien de choquant à en parler.

— Tout le monde n'est pas obligé d'être aussi direct que vous.

— Cami ?

La voix de Ted venait du couloir. Apparemment, il commençait à s'inquiéter. Peut-être même s'imaginait-il que la jeune femme s'était enfuie par la porte de derrière. Et, pendant un quart de seconde, elle donna l'impression d'être prête à le faire.

— Ecoutez, je ne sais même pas pourquoi je parle de ça avec vous, murmura-t-elle. Bonne nuit. Pensez à tout fermer en partant.

Elle quitta la pièce et Tanner écouta son pas décidé marteler les lattes de parquet du corridor.

Etrangement dépité, il resta figé au milieu de la cuisine, jusqu'à ce que les ronronnements d'Annabel viennent le tirer de son hébétude.

— Tiens, mais on dirait mademoiselle la dévoreuse d'araignées, remarqua-t-il, en baissant les yeux vers l'animal qui s'enroulait autour de ses jambes.

Tout à coup, il remarqua un détail anormal.

— Mais… tu as du cuir dans les babines !

Jurant comme un charretier, il se précipita vers le couloir, et stoppa net à la vue de sa ceinture, abandonnée sur le sol. Grave, très grave erreur. Annabel avait arraché une nouvelle pochette.

— Toi ! dit-il, en pointant un doigt vers l'animal. Tu es un très vilain chat.

Il eut l'impression de la voir relever le menton d'un geste hautain, ce qui lui fit aussitôt penser à Cami.

— Tu ne pourrais pas te contenter de tes croquettes ?

Elle n'eut même pas un battement de cils, et il prit enfin conscience qu'il parlait à un chat.

— Il faut que je sorte de là, murmura-t-il.

Lorsque son téléphone portable sonna, un moment plus tard, il eut l'impression que son cœur s'arrêtait de battre. Il n'y avait qu'une raison pour qu'on l'appelle aussi tard. Son mauvais pressentiment se confirma lorsqu'il lut sur l'écran le numéro de son correspondant.

— Que se passe-t-il ? cria-t-il dans l'appareil.

— Quel accueil !

— Papa, tu vas bien ?

— Et pourquoi ça n'irait pas ? Dis donc, fiston, je voulais te demander un service...

— Pas d'alcool ni de cigarettes !

— Je sais, inutile de me faire la leçon ! Mais j'aimerais que tu me rapportes des tacos, avec de la sauce au piment.

— Pas question !

— Un gâteau au chocolat, alors. Fourré avec de la crème au beurre.

— Sûrement pas !

— Bon sang, fiston ! Tu pourrais avoir pitié de ton vieux père.

— Tu sais que c'est pour ton bien. Je te retrouve à la maison de retraite dans une heure.

— Tu es sûr ? Parce que, si jamais tu avais un rendez-vous galant, je ne voudrais pas te déranger.

Tanner pensa à sa cliente. La femme qui ne savait pas dire non. Sauf à lui.

— Je n'ai aucun rendez-vous de ce genre.

— Comment ça se fait ?

— Papa !

— Tout ce que je dis, c'est que tu ferais mieux de t'amuser un peu, au lieu de t'occuper de moi. A ton âge, un homme a certains besoins…

— Papa, je vais raccrocher maintenant.

— Si tu veux. Mais pense à ce que je viens de te dire. Le plaisir d'abord, le devoir après.

Le trajet interminable jusqu'à Reno donna à Cami l'occasion de ressasser encore ses doutes. Quelque chose lui disait que cette soirée allait être un désastre. Ted avait insisté pour aller dîner chez Denny, une brasserie bon marché, sous prétexte que le buffet y était excellent et, surtout, qu'on pouvait s'y servir à volonté.

Son funeste pressentiment se confirma lorsque, dans sa précipitation pour passer devant elle, il lui écrasa le pied en entrant dans le restaurant.

— J'adore cet endroit, s'exclama-t-il, au lieu de s'excuser.

— J'espère qu'il n'y aura pas trop de monde, dit Cami, tout en agitant les orteils.

Elle n'avait rien de cassé, mais la douleur était lancinante. Et sa sandale était éraflée.

— Ce n'est jamais bondé. C'est ce qui fait tout le charme du lieu, répondit Ted, d'un air satisfait.

Oh, Seigneur !

— Et le dessert est inclus.

De mieux en mieux !

Ce n'était pas possible, ça ne pouvait pas lui arriver à elle, décida Cami, en regardant son cavalier se ruer sur le buffet. Sa mère ne lui aurait jamais joué un aussi mauvais tour. Déterminée à prendre les choses du bon côté, elle plaqua un sourire sur son visage, et fit un effort de conversation.

— Il paraît que vous travaillez dans l'informatique...

— Regardez-moi ça ! s'exclama Ted, en extase devant un plateau de petits pains.

Et, comme Cami ne réagissait pas assez vite à son goût, il lui donna un coup de coude dans les côtes.

— Allez-y, prenez-en autant que vous voulez.

Après le repas, qui se déroula quasiment en silence tant il était occupé à s'empiffrer, Ted proposa d'aller voir un film, non sans s'être débrouillé pour que Cami s'acquitte de sa part.

— Ce n'est pas que je n'aurais pas pu payer pour vous, expliqua-t-il, tandis qu'il entraînait la jeune femme au pas de course vers la voiture. Mais je sais combien il est important pour les femmes d'aujourd'hui de pouvoir affirmer leur indépendance. Et puis, je suis tombé sur un certain nombre de profiteuses. Des filles qui ne sortaient avec moi que pour bénéficier d'un repas gratuit.

— Eh bien, pour vous prouver que je n'appartiens pas à la catégorie des profiteuses, je vous propose d'en rester là.

— Oh, non ! rétorqua Ted, visiblement scandalisé. Il faut prendre le temps de nous connaître, si nous voulons décider en toute connaissance de cause. Tiens, j'ai une idée. Si nous allions au drive-in ?

— Ce ne sera pas nécessaire.

— Chut, taisez-vous !

Il monta le son de l'autoradio et une musique sirupeuse, digne d'une ambiance de supermarché, s'éleva dans l'habitacle.

— J'adore cette chanson, s'extasia-t-il.

Cami garda les dents serrées, tandis qu'elle songeait avec nostalgie à la musique rock de Tanner.

La voiture de Ted rendit l'âme à minuit pile, rappelant douloureusement à Cami qu'elle n'était pas Cendrillon.

Ils se trouvaient sur un chemin désert, parce que Ted avait eu la bonne idée de quitter l'autoroute pour profiter du clair de lune — tellement plus romantique en rase campagne —, et son portable ne recevait plus de signal de réseau.

Les choses ne pouvaient pas être pires.

Merci, maman.

— Voilà une voiture, s'exclama soudain Ted. Je vais voir si je peux l'arrêter.

Cami le regarda s'agiter frénétiquement sur le bord de la route, plus affreux que jamais dans la lumière des phares. Il parlementa un moment avec le conducteur, et revint vers elle, tout excité.

— C'est une femme. Il n'y a que deux places dans sa Porsche, et elle accepte de me conduire à Truckee.

— Et moi ? Vous n'allez quand même pas me laisser là toute seule ?

— Puisque je vous dis qu'il n'y a que deux places ! Mais ne vous inquiétez pas, je vais vous envoyer quelqu'un.

— Vous n'allez pas revenir me chercher ?

— C'est-à-dire…

Il tournait la tête vers la voiture de sport, dont le moteur ronronnait comme un félin dans la nuit, visiblement pressé de rejoindre la conductrice.

— Elle est si bien que ça ? hasarda-t-elle.

— Et comment ! Bon, si vous permettez, il faut que j'y aille.

— Non, mais je rêve ! Votre voiture tombe en panne, et vous m'abandonnez toute seule, en pleine nuit.

— Ne soyez pas stupide ! Vous pouvez vous abriter dans ma voiture.

Incrédule, Cami le regarda s'engouffrer dans la Porsche, qui démarra dans un crissement de pneus, et suivit des yeux la lueur rouge des feux arrière, jusqu'à ce qu'elle disparaisse dans la nuit.

Comment avait-elle pu en arriver là ?

Qu'avait dit Tanner, déjà ? Qu'elle se laissait trop facilement marcher sur les pieds ?

Il avait parfaitement raison. Bon sang ! Elle détestait que les autres aient raison.

Regagnant la voiture de Ted, elle s'installa au volant, et se laissa aller contre le dossier de son siège. Pas la moindre lueur de phares en vue. En fait, dans la lumière blafarde de la lune, voilée par quelques nuages, la seule lueur perceptible provenait des boutons blancs qui ornaient le devant de sa robe.

Tout à coup, elle prit conscience que la nuit à la campagne n'avait rien de silencieux, ni de paisible. Malmenés par le vent qui sifflait dans les feuillages, les arbres semblaient comme… possédés. Le crissement des insectes résonnait dans sa tête jusqu'à l'obsession. De loin en loin, le bruit d'un moteur déchirait la nuit, mais pas une seule voiture ne venait dans sa direction. Si seulement Dimi était là pour lui dire ce qu'il fallait faire !

En proie à un désarroi comme elle en avait rarement éprouvé, elle se laissa aller contre l'appuie-tête et ferma les yeux.

Ses mains glissèrent sur le tissu délicat. Dans le silence, le passage des doigts calleux produisit un frottement, et elle en oublia de respirer. Le parfum chaud et enivrant de son torse l'enveloppait comme un filtre magique, mélange de bois de santal, de cuir, et de… plâtre.

Stop ! Il fallait rembobiner le film et penser à autre chose. Cami ouvrit brutalement les yeux, et se morigéna. Pas question de fantasmer sur cet homme. Tanner James n'avait rien à faire dans ses songes érotiques.

Lentement, elle se replongea dans le sommeil.

Plaquée contre son corps dur et vigoureux, blottie dans sa chaleur, son odeur enivrante, elle sentit un frisson la traverser.

Oui. Voilà qui était beaucoup mieux.

Il glissa les doigts dans ses cheveux, effleura ses lèvres d'un baiser doux et léger au début, puis de plus en plus passionné, d'une sensualité qui la faisait vibrer de plaisir. Un gémissement bref lui échappa tandis qu'il lui caressait le cou de ses lèvres chaudes et avides…

« Continue, ne t'arrête pas en si bon chemin », s'encouragea Cami.

Il explora lentement les pleins et les déliés de son corps, la rondeur des seins, des hanches, la douceur du ventre et des cuisses, jusqu'à ce qu'elle l'implore de s'unir à elle, prononçant son nom dans un murmure fiévreux. Tanner…

Bon sang ! Encore lui.

Elle crispa les paupières, s'efforçant de libérer son imagination. Mais la magie était rompue.

Complètement réveillée, désormais, elle regarda autour d'elle et constata que le jour commençait à se lever. D'après sa montre, elle avait somnolé pendant presque cinq heures. Toujours pas la moindre voiture en vue mais, à 6 heures du matin, il faisait suffisamment clair pour s'orienter sur la route. Son sac calé sous le bras et son portable à la main, elle se mit à marcher, bien décidée à avancer jusqu'à ce qu'elle obtienne un signal de réseau.

Il ne lui fallut pas plus de cinq minutes pour que son téléphone soit de nouveau utilisable, et elle composa aussitôt le numéro de Dimi.

— Réponds ! cria-t-elle avec impatience, sitôt le message du répondeur terminé. Je suis coincée quelque part entre Reno et Truckee, et j'ai besoin que tu viennes me chercher.

Elle donna le numéro de la sortie d'autoroute, et le plus de détails possible sur l'endroit où elle se trouvait. Puis, jugeant que deux précautions valaient mieux qu'une, elle appela sa mère. La réveiller lui était égal. Elle s'en réjouissait même. Après tout, c'était la faute de cette dernière si elle se trouvait dans une telle situation.

Mais, là encore, elle n'obtint aucune réponse.

— O.K., maman, dit-elle à la machine, ton prince charmant m'a laissée en rade dans un trou perdu. Tu as intérêt à venir me chercher immédiatement. Et ne perds pas ton temps à enlever tes bigoudis d'abord, ou je ne te donnerai jamais de petits-enfants.

Levant les yeux, Cami regarda le ciel changer de couleur et poussa un lourd soupir.

Et maintenant ?

Ted, ce grossier personnage, l'avait visiblement oubliée, et il était inutile de compter sur lui.

Au cas où Dimi serait passée chez elle pour lui emprunter du rouge à lèvres ou des chips, elle composa son propre numéro. Bon, d'accord, elle savait très bien que Dimi avait peu de chances d'être déjà levée. Mais, à situation désespérée...

En réalité, elle avait envie de parler à quelqu'un, et si ça devait être à elle-même, eh bien, soit !

— Dimi, arrête de tripoter mes affaires, dit-elle, juste après le bip. Et viens me sortir de là.

Pas de réponse.

— Bon, d'accord, je me suis un peu énervée, reconnut-elle, d'un ton conciliant.

Il suffisait d'un rien pour irriter Dimi, et elle ne pouvait prendre aucun risque.

— Et je le regrette, continua-t-elle. Mais tu aurais réagi de la même façon à ma place.

Toujours rien.

Cami arrêta de marcher, et s'appuya le dos contre un arbre.

— Bon, tu veux rire ? Ça a commencé hier soir, avant que je quitte la maison. Figure-toi que mon entrepreneur m'a accusée d'être trop influençable. Ce n'est pas tout à fait faux, mais je ne trouve pas élégant de sa part de me l'avoir fait remarquer. Ensuite, j'ai dû me traîner chez Denny pour un buffet à volonté. Et, crois-moi, il faut une sacrée volonté pour y avaler quoi que ce soit. Et maintenant, je me retrouve coincée au beau milieu de nulle part parce que mon chevalier servant s'est éclipsé avec une autre femme. A ton avis, pourquoi c'est si dur de trouver un homme bien ? Je ne suis pourtant pas si difficile. Un dîner aux chandelles, une promenade au clair de lune, éventuellement une croisière… Tu m'écoutes ? Il y a quelqu'un ?

Cami poussa un soupir à fendre l'âme et, dans un inexplicable besoin d'autocritique, ajouta :

— Tanner avait mille fois raison. Il faut que j'apprenne à dire non.

5.

Tanner arriva chez Cami un peu plus tôt que d'habitude. Il avait passé trop de temps à discuter avec son père, la nuit dernière, et il se sentait fatigué. Mais l'habitude de se lever de bonne heure était trop ancrée en lui pour qu'il y déroge.

Son père semblait désormais complètement tiré d'affaire, et la peur de le perdre, qui ne l'avait jamais quitté durant toute cette année, commençait à s'estomper.

A l'en croire, le vieil homme semblait décidé à passer les vingt prochaines années à ne rien faire d'autre que de profiter de la vie. Et sans doute aussi à rendre son fils complètement fou.

Cela semblait à Tanner un excellent programme, dans la mesure où il n'avait aucune envie de perdre la seule famille qu'il lui restait.

Il se serait bien passé, en revanche, des commentaires sur sa vie sexuelle. Son père avait essayé de savoir s'il avait une petite amie sérieuse, quelqu'un susceptible de se transformer en épouse, et il ne fallait pas être un génie pour comprendre qu'il rêvait d'avoir des petits-enfants.

Tanner n'était pas opposé à l'idée d'avoir des enfants. Un jour. Mais, pour cela, il lui faudrait d'abord se marier.

Et c'était là que le bât blessait.

Il aimait les femmes sensuelles et tourmentées, nerveuses et impatientes, et surtout farouchement indépendantes. Ses relations amoureuses duraient un moment, puis il passait à autre chose. C'était simple et net. Il se montrait le plus élégant possible et ses partenaires s'estimaient généralement satisfaites. Il n'avait pas à craindre que l'une d'elles se mette soudain à rédiger son faire-part de mariage, ou qu'elle se soucie de la couleur des murs de leur futur salon.

De toute façon, il n'avait pas le temps de songer au mariage. Et cela n'avait rien à voir avec la maladie de son père. Son travail ne lui laissait pas une minute. En plus des chantiers, il y avait toute la comptabilité, les plannings, les contrats... Même sans y mettre de mauvaise volonté, il ne voyait pas où une femme pourrait trouver sa place dans tout ça.

« Désolé, papa, mais tu vas devoir attendre encore un peu. »

Il ouvrait la porte d'entrée, quand il entendit la voix de Cami dire :

— Tanner avait mille fois raison. Il faut que j'apprenne à dire non.

Un sourire aux lèvres, Tanner enfouit dans sa poche la clé que sa cliente lui avait donnée, et se dirigea vers la cuisine.

Il n'y avait personne dans la pièce, à l'exception d'Annabel qui se mit à miauler dès qu'elle l'aperçut.

— Espèce de gourmande, dit Tanner, en jetant un œil vers l'assiette vide. Je sais bien que tu as tout mangé. Ne compte pas sur moi pour te donner autre chose.

L'animal s'enroula autour de sa jambe en ronronnant avec insistance.

— Chut ! lui ordonna Tanner, en tendant l'oreille pour discerner ce que Cami disait.

« Je déteste avoir tort », entendit-il. Guidé par le son de sa voix, il retourna dans le couloir, et réalisa que le répondeur était en marche.

— Génial, dit Cami. J'en conclus que personne ne m'écoute, à part Annabel. Ça ne devrait pas m'étonner. C'est toute l'histoire de ma vie. J'espère que tu t'amuses, au moins, vilain chat.

Pourquoi Cami, une femme qui préférerait se faire couper un bras plutôt que de sortir du lit avant 10 heures, s'appelait elle-même à… Tanner consulta sa montre et découvrit avec surprise qu'il était à peine plus de 6 heures.

— En plus, il fait terriblement froid pour se promener en robe d'été.

Et pourquoi ne s'était-elle pas changée depuis la veille. Elle n'avait quand même pas utilisé le préservatif avec son idiot de chevalier servant ?

— Bien sûr, c'est un peu normal d'avoir froid après avoir passé la nuit dans l'atmosphère hostile de la Sierra. Mais tu sais quoi, Annabel ? Ce n'est pas ma faute. Non, c'est celle de mes parents. Mon père a eu combien ? Six femmes ? Non, attends ! J'oubliais l'inoubliable Brandy. Avec elle, ça fait sept. Sept belles-mères, dont la plupart étaient plus jeunes que moi. Rien d'étonnant à ce que j'aie des problèmes avec les hommes.

Un lourd soupir emplit la pièce.

— Et puis, il y a maman. Plus autoritaire qu'un sergent-chef. Vraiment, quand j'y réfléchis, c'est un miracle que je sois normale.

Il y eut un bref silence, puis un nouveau soupir.

— C'est vraiment trop calme, par ici. J'espère qu'un assassin armé d'une hache ne rôde pas dans les parages. Personne ne m'entendrait crier. Et puis, il y a de drôles d'oiseaux qui tournent au-dessus de ma tête.

Soudain inquiet, Tanner plongea vers le téléphone, mais la communication fut coupée au moment où il décrochait. La lumière rouge signalant un message se mit à clignoter, et il appuya sur la touche lecture. La voix de Cami retentit de nouveau dans la pièce.

— Dimi, arrête de tripoter mes affaires, et viens me sortir de là.

Tanner eut à peine le temps de se demander qui était Dimi, que l'angoisse l'envahit. Il ne s'agissait pas d'une plaisanterie. Derrière le ton léger, il devinait la panique grandissante de Cami.

Elle était vraiment seule, abandonnée. Et elle avait passé la nuit dehors.

Tout en grommelant entre ses dents, il quitta la maison et s'engouffra dans sa camionnette.

Il ne le faisait pas pour elle, mais par compassion pour son prochain. Si jamais quelqu'un s'arrêtait pour porter secours à Cami, elle le rendrait tellement fou que le malheureux n'aurait plus comme solution que de la tuer pour qu'elle se taise enfin.

Un semi-remorque ralentit à la hauteur de Cami et, d'une humeur décidément massacrante, cette dernière s'autorisa un geste plutôt malséant.

C'était si réconfortant, qu'elle récidiva avec le véhicule suivant, sans même y jeter un œil.

— Charmante façon d'accueillir votre sauveur.

Cami, qui avait continué à marcher en donnant des coups de pied rageurs dans la poussière du bas-côté, fit brusquement volte-face.

— Vous, dit-elle, en découvrant Tanner.

— Eh oui, c'est moi. Vous allez bien ?

Que le diable l'emporte ! Comment faisait-il pour être aussi séduisant alors que le jour venait à peine de se lever ? Elle osait à peine penser à sa propre apparence, échevelée, chiffonnée, en un mot : lamentable.

— Evidemment que je vais bien !

— Ah bon ? Et que faites-vous là ?

— Rien du tout.

— Vraiment ?

Les mains dans les poches de son jean, il avança vers la jeune femme.

— C'est drôle, j'aurais pu jurer que vous faisiez du charme à tous les routiers qui passent. Apparemment, ça ne marche pas. Vous devriez peut-être revoir votre méthode.

N'était-ce pas à mourir de rire ? Non seulement elle devait supporter ses moqueries, mais elle devait aussi lutter contre le malaise que lui communiquait sa présence, pour la simple raison qu'il avait fait de la figuration dans ses rêves.

Bon, d'accord ! Il y tenait le rôle principal. Raison de plus pour être de mauvaise humeur.

— Fichez le camp !

— Votre joie de me revoir a quelque chose de bouleversant.

— Ce n'est pas possible. Tout ça n'est pas réel, marmonna Cami.

Avant qu'elle ait pu deviner son geste, Tanner ôta sa chemise de flanelle écossaise et la lui posa sur les épaules.

— Je n'ai pas froid, protesta-t-elle.

— Vous avez la chair de poule.

Hmm, la sensation était divine. L'étoffe avait gardé la chaleur de son corps et l'odeur boisée de son eau de toilette.

— Vous ne voulez toujours pas me dire ce qui s'est passé ?

— Il ne s'est rien passé.

— Hum, c'est ça. Vous faites juste une promenade de santé. Et vous vous entraînez à faire de l'auto-stop pour le jour où vous en aurez besoin.

L'orgueil était vraiment un défaut épouvantable. Et la nuit avait été longue… Soudain, Cami songea à tout ce qui aurait pu lui arriver, et son visage se décomposa.

Le sourire de Tanner s'éteignit aussitôt.

— Que se passe-t-il, Cami ?

Oh, Seigneur, cette voix ! Basse, rauque, et tellement sexy que son corps, comme animé d'une volonté propre, s'inclina vers celui de Tanner.

— Je viens de vivre le rendez-vous le plus épouvantable de l'année, avoua-t-elle. Vous êtes content ?

— Je suis au courant. Je sais tout de la passion de Ted pour les buffets à volonté et les drive-in. Et je sais aussi que ce goujat vous a abandonnée en pleine nuit.

Cami déglutit avec peine.

— Vous… vous avez écouté mon répondeur ?

— Vous pouvez m'en être reconnaissant. Sans cela, vous seriez encore à lever le pouce pour essayer d'arrêter une voiture.

Bizarrement, elle lui était reconnaissante. Elle était même heureuse de le retrouver.

Elle aurait presque pu se jeter dans ses bras et pleurer de soulagement, s'il n'y avait pas eu ce fichu ego qui commençait à se faire entendre de nouveau.

— Que faites-vous dans le coin ? demanda-t-elle d'un ton léger, comme s'ils venaient de se rencontrer par hasard à l'épicerie.

— Ce serait plutôt à moi de vous poser la question.

— Oh, eh bien, je…

— Admettez-le. Vous avez besoin de moi.

— Absolument pas !

— Alors, vous avez menti. Votre rendez-vous s'est déroulé comme dans un rêve. C'est bien ça ?

— Ça dépend quel genre de rêve.

— Arrêtons les bavardages, suggéra-t-il, et venons-en directement au moment où vous vous confondez en remerciements.

— Je pouvais très bien me débrouiller sans vous.

— Ah bon ? Ça veut dire que vous êtes prête à rentrer à pied ?

Pour toute réponse, Cami se contenta d'observer ses pieds. Ravaler sa fierté lui demandait un tel effort qu'elle aurait préféré voir le sol s'ouvrir pour l'engloutir.

— A votre guise, décida Tanner, au bout d'un moment. Je vous attends au lac, si jamais vous y arrivez. Vous savez que c'est à vingt kilomètres d'ici ?

Sur ces mots, il tourna les talons et commença à se diriger vers sa camionnette.

— Attendez ! s'écria Cami.

Avec soulagement, elle le vit s'arrêter et faire volte-face.

— O.K., j'ai besoin que quelqu'un me reconduise à Truckee.

— Oh, vous allez devoir faire mieux que ça, déclara Tanner, en croisant les bas.

— Sinon, quoi ? Vous allez m'abandonner ici ? Ça m'étonnerait.

Une bourrasque de vent souleva sa jupe et, avant qu'elle ait eu le temps de la rabattre, un camion passa en klaxonnant avec insistance.

— Evidemment ! Maintenant il y a de la circulation, ragea-t-elle, tout en bataillant à la fois pour plaquer la jupe contre ses jambes et dégager ses cheveux de son visage.

— Il pourrait peut-être vous emmener faire un tour ?

— Si c'est pour m'éloigner de vous, pourquoi pas, grinça-t-elle entre ses dents.

Tanner ne broncha pas.

— Qu'est-ce que nous attendons ?

Toujours pas de réaction.

— Tanner !

— J'espérais que vous me le demanderiez gentiment. Vous pourriez peut-être lever le pouce, et sourire obligeamment, comme vous le faisiez avant que j'arrive.

Excédée, elle lui tira la langue.

— Et si nous pouvions attendre qu'un autre coup de vent dévoile de nouveau votre charmante petite culotte rose, ce ne serait pas pour me déplaire.

— Vous êtes un malade ! déclara Cami avec emphase. Un vrai malade.

D'un pas décidé, elle gagna la camionnette, se hissa sur le siège passager, et claqua la portière.

Tandis qu'il tournait la clé de contact, Tanner lui jeta un regard à la dérobée. Son visage avait repris quelques couleurs, et elle semblait avoir définitivement ravalé ses larmes. Tant mieux ! Si elle avait éclaté en sanglots, il n'aurait pas su quoi faire. Voir une femme pleurer lui ôtait tous ses moyens. Bien que l'idée de la tenir serrée contre son torse et de lui caresser doucement le dos pour la réconforter ne soit pas pour lui déplaire…

Un silence gêné s'installa dans la voiture et Tanner se creusa la tête pour trouver un sujet de conversation.

— Qui est Dimi ? demanda-t-il.

— Ma… sœur.

— Vous n'avez pas l'air très sûre.

Elle lui adressa un sourire forcé.

— Si, c'est bien ma sœur. Mais je n'aime pas tellement parler d'elle. Nous sommes un peu trop… semblables.

— Ah. Et vous avez vraiment eu sept belles-mères ?

Cami tourna vers lui un regard horrifié.

— Vous avez écouté toute la conversation ?

— La conversation avec vous-même ? Oui, je l'ai écoutée. Ce qui explique ma présence ici.

— Oh… Elle se cala confortablement dans son siège. C'est logique.

— Alors, ces belles-mères ?

— Je ne sais même pas si on peut les appeler comme ça, étant donné qu'elles ont plus ou moins le même âge que moi. De toute façon, mon père vit en Europe, et je ne les ai jamais vraiment beaucoup vues.

Tanner tourna la tête et surprit le petit sourire destiné à lui faire croire qu'elle s'en moquait complètement. Mais, derrière la désinvolture de façade, il devinait la petite fille qui aurait tout donné pour recevoir un peu d'amour de son père.

— Je suis désolé.

— Il n'y a pas de raison. Je suis sûre que la plupart des gens ont des belles-mères hystériques, des pères qui oublient leur anniversaire, et des mères qui leur arrangent des rendez-vous atroces.

— Cami...

— Un mot de plus, et je vous frappe.

Tanner tourna le bouton de l'autoradio, et un air de rock assourdissant envahit l'habitacle. A la fin de la chanson, une voix chaleureuse et enthousiaste vanta les mérites d'un opérateur téléphonique qui proposait un abonnement permettant d'appeler partout et à n'importe quelle heure les personnes chères. La publicité était, à l'évidence, conçue pour émouvoir, mais les ficelles étaient tellement grosses que Tanner se retint d'éclater de rire. Personne ne pouvait croire à de telles inepties.

Pourtant, un étrange reniflement monta du siège passager.

Tournant la tête, il vit les yeux de Cami emplis de larmes.

— Mais, enfin, ce n'est qu'une publicité.

— Je sais.

Elle renifla de nouveau, et s'essuya la joue du revers de la main.

— Ne dites rien de plus. J'ai juste faim, et froid, et... envie d'aller aux toilettes.

Tanner laissa échapper un juron et se gara sur le bas-côté.

— Je n'ai même pas de mouchoir, s'excusa-t-il.

Relevant un pan de la chemise qu'il lui avait prêtée, Cami se tamponna les yeux.

— Roulez ! lui ordonna-t-elle.

D'un geste résigné, il détacha la ceinture de sécurité de Cami et lui tendit le bras.

— Venez ici.

Le contact de son corps tendre et tiède était aussi émouvant qu'il l'avait imaginé. Plus encore, peut-être. Ses cheveux lui chatouillaient le nez, et il déplaça légèrement sa joue, en essayant d'ignorer la douceur soyeuse de sa peau sous la sienne.

— Je regrette pour hier soir. J'aurais dû insister pour que nous dînions ensemble. Je vous jure que si ce Ted était devant moi, je lui casserais la figure.

La jeune femme nicha son visage au creux de l'épaule de Tanner, et soupira doucement.

— Ce n'est pas à cause de lui que je pleure. Ni parce que j'ai dû dormir dans sa voiture, laquelle est particulièrement inconfortable, si vous voulez le savoir.

Elle leva vers lui ses grands yeux sombres où brillaient encore quelques larmes.

— C'est à cause de cette publicité. Chaque fois que je l'entends, ça me fait penser que je n'ai personne à appeler.

Elle se blottit plus étroitement contre lui, et Tanner se sentit soudain prisonnier de ses principes. Quel décalage entre cette façade d'indifférence qu'il se sentait obligé d'arborer et la réalité de ce qu'il éprouvait. A cet instant, il aurait pu l'embrasser sans qu'elle ne proteste. Mais il savait qu'il ne pourrait s'arrêter là. Cami était si différente des femmes qu'il avait rencontrées jusqu'à présent. Douce, sensible, naïve, prête à se dévouer pour les autres sans jamais se soucier de son propre bien-être. Il ne serait pas difficile de se faire aimer d'elle.

Seulement il était l'homme des changements, des aventures. Demain il serait reparti. Et il se sentait coupable d'éprouver un désir si fort qu'il risquait d'en perdre la raison.

6.

Cami faisait de son mieux pour oublier ce qui s'était passé.

L'abandon de Ted. Le secours apporté par Tanner. Et surtout, la honte de s'être mise à pleurer sur son épaule.

Et elle aurait pu y arriver sans cette sensation de bien-être béat qu'elle éprouvait au seul souvenir de ses bras autour d'elle.

Un jour entier s'était écoulé depuis, et elle ne pouvait se départir de cette conviction éprouvée alors, celle d'être à sa place, exactement là où il fallait qu'elle soit, protégée et aimée.

Etendue sur le canapé du salon, elle remonta la couverture sur ses yeux et tenta de faire le vide dans son esprit. Mais comment y parvenir avec la radio qui marchait à tue-tête, et le bruit des travaux ?

Le téléphone sonna, et elle hésita un instant à répondre. Il n'était que 8 heures, pour l'amour du ciel ! D'un autre côté, il pouvait s'agir d'un client. Et elle ne pouvait se permettre d'ignorer un client. A moins qu'elle ne préfère se nourrir de conserves durant tout le mois.

Avec un soupir, elle tendit la main vers la table basse, et chercha à tâtons le téléphone. Elle venait de le saisir quand elle perdit l'équilibre et roula sur le sol. Empêtrée dans la couverture, les cheveux sur le visage, elle renonça à lutter, telle une baleine prise dans le filet d'un pêcheur, et s'immobilisa.

— Allô ? dit-elle.

Les yeux clos, prête à se rendormir, elle découvrait dans le même temps que le sol était plutôt confortable.

— Cami, c'est Ted.

Bon sang ! Il n'en fallait pas plus pour lui gâcher la journée.

— Cami ?

— Une seconde, Ted. Je suis en train de me demander si je dois raccrocher ou vous injurier.

— Je suis désolé. Je voulais juste…

Avant que Cami ne découvre pourquoi il l'appelait, le téléphone lui fut arraché des mains. Les yeux tout à coup écarquillés, elle découvrit de lourdes chaussures de chantier, surmontées d'un jean usé.

— Ted. Ici Tanner James. Vous ne me connaissez pas, mais je suis…

Il baissa la tête vers Cami, et le cœur de cette dernière se mit à battre la chamade lorsqu'elle rencontra le regard d'ambre qui l'enveloppait comme une flamme dévastatrice.

— L'associé de Cami, termina-t-il.

Tandis qu'il écoutait avec politesse son interlocuteur, la jeune femme retint son souffle. Elle se demandait ce que Ted pouvait bien raconter, mais ce dernier ne tarda pas à la renseigner.

— Alors, comme ça, ce n'est qu'un terrible malentendu ? Vous n'avez pas pu résister à quoi ? Ah, je vois ! Alors, vous avez mis la vie de Cami en danger pour une part de tarte au potiron. Bien joué, Ted.

Il écouta encore un moment, puis laissa éclater sa colère.

— Non, cette excuse ridicule ne prend pas avec moi. Tu veux savoir ce que je pense ? Tu es une ordure. Et si jamais tu rappelles, si tu oses te présenter ici, je te fiche mon poing dans la figure. C'est bien clair, Ted ?

— Tanner ! s'écria Cami, tout en essayant de se relever.

Malheureusement, elle était emprisonnée dans la couverture, comme une saucisse dans sa peau, et Tanner avait posé le pied sur le bord.

Persuadée qu'il ne l'avait pas fait exprès, elle tira sur la couverture. Il posa aussitôt l'autre pied, et lui adressa un drôle de regard.

— O.K., Ted, ravi de voir que tu as saisi le message.

Avec un petit sourire satisfait, il déconnecta la ligne, et jeta le combiné sans fil sur le canapé.

— Je peux savoir à quoi ça rime ? demanda Cami, en luttant pour se libérer.

— Une technique d'homme des cavernes que les femmes ne peuvent pas comprendre.

Bloquant toujours la couverture, il s'accroupit à sa hauteur et l'observa longuement. Sous ce regard qui la jaugeait, elle prit conscience d'une quantité de choses, particulièrement déplaisantes. Elle n'était pas maquillée, ses cheveux ne devaient plus ressembler à rien, et elle ne s'était pas encore lavé les dents.

— Ça va ? finit-il par demander.

— Vous marchez sur ma couverture.

— Vous avez assez dormi ? Vous devez avoir du sommeil en retard.

Cami avait toutes les peines du monde à comprendre où il voulait en venir. Aucune lueur d'intérêt ne brillait dans ses yeux, l'expression de son visage était indéchiffrable, et sa voix restait neutre.

— Pour quelqu'un qui martèle les murs depuis des heures, c'est une question plutôt curieuse.

— Je martèle avec retenue, rétorqua-t-il.

Un léger sourire adoucit ses traits et, tandis qu'il laissait son regard courir le long de la couverture, une flamme s'alluma dans son regard limpide. Cami retint un sourire en songeant à la tête qu'il ferait s'il pouvait voir son vieux short en coton et son T-shirt trop large.

— Au cas où vous vous poseriez la question, je ne suis pas nue, observa-t-elle.

— On peut toujours rêver.

— Je me demande si vous auriez laissé Ted me parler de cette façon.

Tanner eut la bonne grâce de rire.

— Vous avez encore un de ces stupides dîners ce soir, dit-il en se relevant. Avec le fils d'une de vos clientes, je crois.

Rien que l'idée donna à Cami l'envie de plonger la tête sous les couvertures en gémissant.

— Ce n'est pas encore ma cliente, et j'ai besoin de ce contrat.

— Suffisamment pour supporter un autre Ted ?

— Il n'existe pas deux personnes au monde comme Ted.

— Pauvre innocente ! Sous nos masques d'êtres civilisés, nous sommes tous des Ted, nous les hommes.

— C'est-à-dire ?

— Nous ne sommes pas tous prêts à nous damner pour la nourriture, mais nous sommes atteints de stupidité aiguë dès qu'on touche à notre point faible.

— Quel est le vôtre ?

— Je ne vous le dirai pas.

Sur ces mots, il quitta la pièce, lui offrant une vision enchanteresse sur ses longues, longues jambes et sur son déhanchement cadencé.

— Bel arrière-train, murmura-t-elle, avant de pouffer comme une gamine.

Décidément, les hommes n'étaient pas les seuls à porter un masque civilisé !

Le téléphone sonna de nouveau et, craignant le retour de Tanner, Cami se jeta sur le combiné.

— Allô ?

— Tu as l'air essoufflé, remarqua Dimi, en guise de bonjour.

Pourquoi serait-elle essoufflée ? Rien ne s'était produit qui aurait pu lui faire perdre son sang-froid, ou l'inquiéter. Ce n'était quand même pas Tanner qui… Oh, et puis zut !

— Oui, c'est possible. Je viens de me réveiller. Je ne suis pas encore remise de ma mésaventure. A propos, merci de me rappeler aussi vite.

— J'étais occupée. A travailler. Mais ce verbe ne doit pas faire partie de ton vocabulaire.

— Hé, je travaille, qu'est-ce que tu crois ?

Dimi eut un soupir de contrition.

— Excuse-moi, je sais que tu fais de ton mieux pour démarrer ton affaire. Mais, de mon côté, c'est la folie. Je viens juste de quitter le plateau. Figure-toi que les olives n'étaient pas dénoyautées, et qu'une de mes invitées a failli s'étouffer.

— Durant l'émission ? En direct ?

— Exactement. Mais parle-moi plutôt de ce qui t'est arrivé.

— C'est déjà de l'histoire ancienne.

— Bon. Et ton autre rendez-vous ? C'est bien ce soir ?

— Hélas ! Je préférerais me faire arracher une dent. Sans anesthésie.

— Tu ne peux plus reculer maintenant. Emporte du gaz hilarant avec toi.

— Très drôle !

— Maman m'a dit que c'est ton entrepreneur qui est venu te chercher, finalement. Comment s'appelle-t-il, déjà ?

— Tanner.

De là où elle se trouvait, Cami pouvait le voir agenouillé dans le couloir, le marteau à la main, serrant deux gros clous dans la bouche.

Comme guidé par une force invisible, il tourna la tête au même moment et leurs regards se croisèrent avec une intensité alarmante. Puis, il lui adressa un de ces petits clins d'œil dont il avait le secret, et Cami sentit son pouls s'accélérer.

— Oh, la barbe, murmura-t-elle.

— Que dis-tu ?

— Rien. Il faut que je te laisse.

— D'accord. Et va à ton rendez-vous. Tu as besoin d'argent, je te le rappelle.

— Je sais.

— Et arrête de penser à ton entrepreneur.

— Quoi ?

— Ce n'est pas ton genre. Il a peut-être le même sens de l'humour que toi, et il possède cette beauté ténébreuse à laquelle il est difficile de résister, sans oublier que tu l'as tout le temps sous le nez, mais écoute-moi : *il n'est pas ton genre.*

— Qu'est-ce que tu en sais ?

— Disons que je le soupçonne de vouloir une femme qui a plus de… *besoins* que toi.

— Tu crois que je ne suis pas assez sensuelle pour lui ?

— Ne te vexe pas ! Moi non plus, je ne le suis pas assez. Regardons la vérité en face, Cami, nous ne sommes pas précisément des épicuriennes.

Mais peut-être pourrait-elle le devenir, songea Cami. Avec un petit peu d'entraînement…

— Tu réfléchis trop, remarqua sa sœur. Je t'entends penser jusqu'ici. Ecoute, avec le regard torride qu'il a, on devine bien que c'est le genre à demander des choses… Hmm… des choses que tu ne voudrais pas faire. Tu ne pourrais pas rendre ce genre d'homme heureux.

— Je vois très bien à quoi tu fais allusion. Mais nous sommes au XXIe siècle, ma petite. Il n'y a pas de quoi s'offusquer. Je pourrais très bien apprendre, s'il m'explique.

— Je refuse d'en entendre davantage.

— Ça ne doit pas être si difficile que ça. Je suis sûre qu'il serait ravi de m'expliquer la meilleure technique.

— Oh, mon Dieu ! Tu t'imagines lui faire ce genre de chose, alors que tu le connais à peine.

— Je le connais plus que tu ne crois.

— Ah oui ? Tu lui as dit que tu avais une sœur jumelle ?

— Je ne vois pas le rapport.

— Tu ne parles jamais de moi à aucun homme, remarqua Dimi, en s'efforçant d'adoucir le ton de sa voix. Ça me sert en quelque sorte de référence. Un jour, tu apprendras mon existence à un homme, et je saurai que tu as enfin trouvé le bon.

— En attendant, je n'ai pas envie de sortir ce soir.

Ce qu'elle voulait, c'était rester tranquillement chez elle, et penser à Tanner, aux choses délicieusement audacieuses qu'il pourrait exiger d'elle, et à la façon dont elle se laisserait convaincre.

— Pense à ton hypothèque.

Et sur ces mots d'encouragement, Dimi raccrocha avant de laisser à sa jumelle le temps de protester.

Avec un soupir, Tanner tourna la tête vers la salle de bains. Le ruissellement de la douche lui évoquait l'image obsédante d'un corps qu'il brûlait de sentir contre lui. Il imaginait la pièce emplie de vapeur, l'eau chaude qui s'infiltrait dans les cheveux de Cami, ruisselait sur son corps aux formes affolantes, ses mains emplies de savon qui s'arrondissaient sur ses seins, glissaient sur son ventre…

La sonnerie de son téléphone portable vint interrompre sa rêverie sensuelle, et il étouffa un juron.

— Ouais ?

— De plus en plus charmant, l'accueil ! Alors, tu t'es trouvé une petite ?

— Non, papa. J'ai trop de travail pour me trouver une petite, comme tu dis.

— L'amour est plus important que l'argent.

— Je ne sais pas ce que c'est que l'amour. Et, de toute façon, ce n'est pas avec ça qu'on gagne sa vie.

— Mon pauvre garçon, je croyais pourtant t'avoir inculqué certaines valeurs…

Tanner perdit le fil de la conversation, et laissa son père récriminer un moment, avant de raccrocher.

C'était quand même insupportable cette manie de vouloir le marier à tout prix. Il croyait pourtant avoir été clair : il n'avait pas le temps de songer au mariage. Son travail ne lui laissait pas une minute à consacrer à une femme. Et puis, les aventures sans lendemain avaient leur charme…

En parlant de charme, Cami venait d'apparaître dans son angle de vue, vêtue d'une nouvelle robe d'été à fines bretelles, l'air aussi réjoui qu'un condamné montant à l'échafaud.

— Laissez-moi deviner. Vous sortez quand même ce soir, malgré le fiasco d'avant-hier.

— J'ai promis.

Il ouvrit la bouche pour lui dire ce qu'il pensait des promesses faites sous la contrainte, mais la sonnette de l'entrée l'en empêcha.

D'un même mouvement, ils tournèrent la tête vers la fenêtre et découvrirent une Corvette d'un rouge éclatant garée dans l'allée. Pas un millimètre de la voiture n'avait échappé au polish, et le chrome des pare-chocs était aussi brillant qu'un miroir.

— Je ne pense pas que vous aurez un problème avec la voiture, ce soir, remarqua Tanner. Je n'en dirais pas autant du conducteur, ajouta-t-il entre ses dents.

Obéissant à une irrésistible impulsion, il s'empara du sac de la jeune femme, et commença à fouiller dedans.

— Tanner, mais vous êtes fou ! Qu'est-ce qui vous prend ?

Il n'était pas sûr de le savoir lui-même. La seule chose qu'il pouvait affirmer, c'est qu'il n'avait pas la moindre sympathie pour les conducteurs de Corvette rouge. On savait bien ce que ce genre de riche play-boy avait derrière la tête ! Raison de plus pour ne pas lui faciliter les choses.

Ha ha ! Ses doigts se refermèrent sur la pochette du préservatif, et Tanner sortit l'objet du délit pour l'enfouir dans sa poche.

— Hé, mais je vous interdis…

— Faites attention à vous, l'interrompit Tanner. Ne buvez pas trop, et prévenez-moi si vous rentrez tard.

— Vous vous prenez pour mon père, ou quoi ?

La sonnette retentit une deuxième fois, et Cami pivota vivement sur ses talons. Ses cheveux volèrent autour de ses épaules, diffusant une envoûtante odeur fleurie, tandis que sa jupe fluide virevoltait gracieusement autour de ses jambes.

Les yeux fixés sur ses épaules nues, si appétissantes qu'il eût volontiers mordu dedans, Tanner lui emboîta le pas.

— Au lieu de sortir avec cet idiot, vous ne préférez pas plutôt assouvir un de vos fantasmes ?

La main sur la poignée de la porte, Cami s'immobilisa.

— J'aimerais bien savoir de quoi vous parlez.

— D'un rendez-vous avec moi, bien sûr.

La sonnette les fit tous deux sursauter, et Cami se décida enfin à ouvrir la porte. Dans un sursaut de savoir-vivre, Tanner s'éclipsa. Après tout, la vie privée de sa cliente ne le concernait pas. Sans compter que le travail n'allait pas se faire tout seul.

— Miaou.

Il baissa les yeux vers Annabel et songea que l'animal avait l'air soucieux.

— Ne t'inquiète pas, elle ne risque rien. Elle a un téléphone portable, tu sais.

Bon sang, il perdait complètement la tête. Comme si ce chat stupide avait la moindre idée de ce qui se passait ! Tandis qu'il s'agenouillait pour prendre un outil, une image inattendue, rapide comme l'éclair, traversa son esprit : Cami, coincée dans l'habitacle de la Corvette, luttant pour échapper aux avances de son chevalier servant. Ce genre de voiture était tout un symbole. Elle projetait l'image d'un séducteur habitué aux conquêtes faciles. Et pour autant qu'il ait pu en juger, Cami n'était pas précisément... comment dire... libérée. Pas complètement naïve, non plus, mais beaucoup trop douce pour faire face à un riche play-boy sans scrupule.

Bon sang ! Il devait faire vite s'il ne voulait pas être semé.

Jurant entre ses dents, il prit ses clés et se rua vers sa camionnette.

— Que faisons-nous là ? s'étonna Cami, quelques minutes plus tard.

Joshua coupa le moteur, défit sa ceinture de sécurité, et se tourna vers elle avec un étrange sourire.

Cami sentit la nervosité la gagner. Ça ne venait pas de lui, essaya-t-elle de se convaincre. Il avait tout pour plaire. Si on aimait ce genre de beauté un peu juvénile. En fait, il lui faisait penser à l'incarnation d'un rêve de lycéenne : le genre capitaine de l'équipe de football.

— J'ai pensé que nous pourrions faire un peu mieux connaissance, susurra Joshua, la voix enjôleuse, le regard lourd de séduction calculée.

Il s'était arrêté dans un petit chemin, à la sortie de Tahoe, loin de toute civilisation. Les environs étaient plongés dans l'obscurité, et la situation avait pour Cami un étrange air de déjà-vu.

Son pouls s'accéléra, tandis qu'elle prenait conscience du danger. Ted était peut-être un goujat, il n'en restait pas moins inoffensif, tandis que Joshua...

Les mains du jeune homme venaient de se refermer sur les siennes, les comprimant comme un étau, et elle essaya de reculer.

— Tu es beaucoup plus belle que je ne l'imaginais. Les goûts de ma mère sont plutôt discutables, en général. Il faudra que je pense à la remercier.

Il se rapprochait encore. Beaucoup trop.

— Vous savez quoi ? demanda-t-elle, avec un petit rire étranglé. J'ai dû oublier de le mentionner...

Elle avait maintenant le dos plaqué contre la portière, et la poignée s'imprimait douloureusement dans sa chair.

— J'aime les grands espaces, continua-t-elle. Et je trouve que nous sommes plutôt confinés. D'autant que vous empiétez largement sur mon territoire.

— Et, en plus, elle est drôle. J'adore l'humour chez une femme.

— Reculez, lui ordonna Cami, en plaquant les deux mains sur son torse.

— Quelle force ! Vas-y, maltraite-moi.

Lorsqu'elle sentit ses lèvres désagréablement humides lui frôler la mâchoire, le sang de Cami ne fit qu'un tour. Levant le genou, elle lui assena un coup dans le bas-ventre. Puis, comme il s'effondrait sur elle en poussant un cri de douleur, la jeune femme sentit la porte s'ouvrir dans son dos.

Elle atterrit lourdement sur le sol, entraînant avec elle son infortuné séducteur. Tandis qu'elle cherchait à retrouver son souffle, elle prit conscience d'une silhouette qui les surplombait.

Tanner ?

Cami battit des paupières, pendant que Tanner soulevait Joshua par le col. Oui, c'était bien lui. Et il avait l'air furieux. « Je vous avais pourtant prévenue », semblait dire son regard étincelant de colère.

— Dépêchez-vous de vous relever, ordonna-t-il, tandis qu'il soutenait Joshua d'une main.

Il avait l'autre bras levé, prêt à frapper, mais le jeune homme semblait si mal en point qu'il le laissa tomber au sol avec une grimace de dégoût.

— Eh bien, il semble que je vous doive des excuses, dit-il en se tournant vers la jeune femme. Vous êtes parfaitement capable de vous défendre toute seule.

Le trajet du retour se fit dans un silence pesant, lourd de rancœur et d'incompréhension.

A plusieurs reprises, Cami tenta d'engager la conversation, mais Tanner gardait le regard obstinément fixé sur la route, tandis que ses mains se crispaient un peu plus sur le volant. Pour un peu, elle aurait vu la fumée sortir de ses oreilles, comme dans un dessin animé.

Finalement il lui signifia clairement qu'il ne voulait pas l'entendre en allumant l'autoradio.

— Ce n'est pas très malin, dit-elle, en tournant le bouton. Pourquoi refusez-vous de me parler ? Parce que j'ai su me passer de votre aide ?

— Pas du tout. Je suis ravi que vous n'ayez pas eu besoin de moi.

— Alors, pourquoi êtes-vous aussi en colère ?

Il secoua la tête et laissa échapper un rire sans joie.

— Parce que je me sens frustré.

Il consentit enfin à tourner la tête et à lui accorder un regard.

— Je voudrais vous demander de faire quelque chose, mais je doute que vous en soyez capable.

Cami se troubla. Où voulait-il en venir, exactement ?

— Quel genre de chose ?

— Je ne sais pas... Si vous commenciez par vous faire plaisir, avant de songer aux autres.

Son ton était préoccupé, et son regard, qui reflétait une infinie gentillesse, semblait lui dire qu'il la comprenait.

— Eh bien, quoi ? Vous ne dites rien ? D'habitude, vous avez plus de repartie.

— Sans commentaire.

— En fait, je n'arrive pas à déterminer si vous agissez ainsi parce que vous ne savez pas ce que vous voulez. Ou bien, si vous en êtes consciente, mais que la vérité vous fait peur.

Cami s'agita sur le siège, à la recherche d'une position plus confortable, et tourna résolument la tête vers la vitre.

— Finalement, murmura-t-elle, je préfère quand vous vous taisez.

7.

Cami s'était préparée à déployer des trésors d'ingéniosité pour éviter Tanner, mais ce dernier, qui paraissait tout aussi décidé à lui battre froid, lui épargna cette peine.

En revanche, elle ne pouvait rien ignorer de sa présence, tant il se montrait bruyant, utilisant comme à plaisir les outils les plus lourds, faisant hurler sa musique rock.

Il se montra tout aussi indifférent à Dimi, sans le savoir, bien évidemment.

— Même pas un petit signe de tête, se plaignit cette dernière, alors qu'elle passait en coup de vent le lendemain soir. Si je n'étais pas déjà en retard, je lui jouerais bien un de nos petits tours. Tu sais, me faire passer pour toi, et…

— Je ne te le conseille pas. Il m'en veut à mort.

— Pourquoi ?

— Parce que… oh, c'est trop compliqué.

— Ma chérie, avec toi ça l'est toujours, conclut Dimi, sur le pas de la porte.

Cami aurait bien voulu raconter la vérité à sa jumelle, mais, comme la mésaventure n'était guère flatteuse à son égard, elle jugea qu'il valait mieux s'en abstenir.

Elle comprenait la colère et la frustration de Tanner. Vraiment. Et le pire était qu'il avait absolument raison : elle laissait les autres décider pour elle. Mais, ce qu'il ignorait, c'était la raison qui la faisait agir ainsi. En se débrouillant pour que ses propres souhaits ne se réalisent jamais, elle avait la certitude de ne pas être heureuse, et, d'une certaine façon, cela l'arrangeait bien, car elle ne croyait pas au bonheur.

Cela ne voulait pas dire pour autant qu'elle était prête à renoncer à certains plaisirs de la vie. De nos jours, une femme pouvait faire absolument tout ce qu'elle souhaitait. Elle pouvait désirer un homme, et se donner les moyens de l'avoir.

Et, bien qu'il n'y ait à cela aucune raison logique, elle voulait Tanner.

Sa dernière cliente — évidemment pas Mme Brown, qui l'avait laissée tomber comme une vieille chaussette après le mauvais traitement infligé à son chérubin de fils — venait de partir. L'équipe de Tanner n'allait pas tarder à en faire autant. Le moment était venu d'agir.

Après s'être rapidement changée et remaquillée, Cami se glissa hors de la salle de bains, et débrancha la multiprise, d'où partaient plusieurs rallonges.

Le silence s'abattit sur la maison, bientôt troublé par une bordée de jurons.

Amusée, Cami se dirigea vers sa chambre, et découvrit Tanner, dos à la porte, tenant une agrafeuse électrique dans sa main levée.

— Très drôle, Juan, dit-il, sans tourner la tête. Ce n'est pas parce que tu pars plus tôt que les autres doivent s'arrêter de travailler.

— Ce n'est pas Juan, l'avertit Cami, fascinée par la façon dont roulaient les muscles de ses épaules et de ses bras sous son T-shirt moulant.

Lentement, comme à regret, il se retourna, et ne put retenir une mimique d'étonnement devant sa tenue. Tant mieux. Elle n'avait pas choisi cette robe au hasard. Courte et sans manches, profondément décolletée, et un peu trop ajustée, elle mettait en valeur les courbes de son corps, et sa couleur rouge était un appel au péché.

— Vous n'étiez pas habillée comme ça tout à l'heure, lorsque vous sautilliez dans le couloir en grignotant des chips.

Zut ! Dimi lui avait encore chapardé ses chips. Et Tanner ne semblait pas plus affolé que ça par sa robe.

— Ne me dites rien, lui ordonna Tanner d'une voix presque étranglée. Vous sortez encore, ce soir.

— Non, je voulais vous parler.

— Habillée comme ça ?

— Qu'est-ce qui vous gêne dans ma tenue ?

De son côté, la question ne se posait pas. La robe la comprimait tellement, qu'elle ne respirait plus que par petites bouffées, craignant de faire craquer les coutures. Le visage écarlate, n'y tenant plus, elle prit une profonde inspiration qui manqua faire jaillir ses seins hors de son corsage.

— Ne faites pas ça ! protesta Tanner, les yeux quasiment exorbités.

— Peux pas faire autrement, marmonna Cami, au bord du malaise. J'étouffe.

Les mains posées sur les genoux, elle s'inclina, et tenta de retrouver son souffle.

Elle entendit vaguement l'agrafeuse heurter le sol, puis deux pieds apparurent dans son champ de vision.

— Asseyez-vous, ordonna Tanner.

Comme si elle n'y avait pas pensé !

— Impossible, gémit-elle.

— Pourquoi ?

— Ma robe est trop serrée.

Il y eut un petit silence et Cami se sentit soulevée dans les airs. Son premier réflexe fut de nouer les bras autour du cou de Tanner. Puis, sans réfléchir, elle nicha le visage au creux de son épaule puissamment musclée. Un petit gémissement jaillit de sa gorge. C'était divin. Tout simplement divin.

— Cami.

Rien que ce mot, son nom prononcé d'une voix incroyablement rauque, faillit lui arracher un nouveau gémissement. Le contact de ses bras dans son dos et autour de ses jambes nues faisait courir des frissons sous sa peau. Son cœur se mit à battre plus vite, et elle baissa les yeux, de peur qu'il ne devine l'étrange faiblesse qui l'envahissait.

— Cami, répéta-t-il. Vous me rendez fou.

— Ça veut dire que vous n'êtes plus en colère contre moi ?

Il eut un rire rauque, d'où était absente toute trace d'humour.

— Ecoutez, vous vouliez parler, et c'est ce que nous allons faire.

Le vertige qu'elle éprouvait atteignait son comble, toute pensée cohérente semblait l'avoir désertée. Elle n'avait même pas conscience qu'ils s'étaient déplacés et venaient d'entrer dans le salon.

— Euh… J'ai oublié ce que je voulais dire.

— Pourquoi ? demanda Tanner, en prenant le plafond à témoin. Pourquoi me faites-vous ça ?

— Je ne sais même pas de quoi vous parlez.

— Vraiment ?

Il la laissa tomber sans ménagement sur le canapé, et resta planté devant elle, les mains sur les hanches.

— J'ai essayé de vous parler avant que vous n'alliez à ces stupides rendez-vous, et vous n'avez jamais rien voulu écouter.

— Bien sûr que si !

— Faux ! Ce que vous vouliez, c'est une conversation de salon, sur le temps qu'il fait, les derniers films à la mode, et les nouvelles tendances en matière de décoration. J'essaie de garder mes distances, parce que j'ai compris que vous vouliez éviter les familiarités, mais, franchement, avec cette robe, il m'est difficile de conserver mon sang-froid.

— Je ne voulais pas vous troubler.

— Ah non ? Et que vouliez-vous ?

— Que vous me remarquiez.

— C'est réussi.

D'un geste machinal, elle s'humecta les lèvres, et Tanner laissa échapper un grognement sourd.

— Vous ne vous rendez peut-être pas compte de ce qui se passe, alors, je vais devoir mettre les points sur les i. J'attends de vous beaucoup plus que ce que vous êtes prête à me donner. J'aime qu'une femme sache ce qu'elle veut, et n'ait pas peur de le dire. Je veux…

— Mais, justement ! Je savais ce que je voulais, et j'ai essayé de vous le faire comprendre, rétorqua la jeune femme, sur la défensive.

Tout à coup, l'information parvint à son cerveau.

— Qu'entendez-vous par : « j'attends de vous beaucoup plus que ce que vous êtes prête à me donner » ?

— J'en ai assez de vous voir partir à des rendez-vous abracadabrants et de devoir vous sauver chaque fois. Je ne supporte plus que vous disiez oui à tout le monde sauf à vous-même. Je ne comprends pas que vous fassiez des efforts vestimentaires pour des hommes incapables de vous apprécier. Je suis fatigué de…

Il s'interrompit brusquement, et resta un moment à observer Cami, les mâchoires serrées, le regard dur. Puis il passa les doigts dans une chevelure déjà hirsute, et laissa échapper un soupir.

— De quoi êtes-vous fatigué ?

— D'essayer d'abattre votre mur, répondit-il, en s'asseyant sur la table basse. Je parle du rempart que vous avez construit autour de vous. Je ne sais pas si c'est l'instabilité sentimentale de votre père, ou la forte personnalité de votre mère, mais j'ai l'impression que vous êtes barricadée à l'intérieur d'une forteresse. Et, chaque fois que je crois avoir trouvé une brèche pour accéder jusqu'à vous, vous vous empressez de la colmater.

Non seulement il avait vu juste, mais il était la seule personne, à part Dimi, à la comprendre si bien.

La voix et le regard de Tanner se firent plus conciliants.

— Je suis assez bon pour réparer votre maison, assez bon pour vous tirer des griffes peu recommandables de vos chevaliers servants. Et peut-être même assez bon pour établir avec vous une sorte d'amitié passagère. Mais c'est tout ce à quoi vous m'autorisez.

Cami eut un petit reniflement de mépris, mais ne sut quoi répondre. Parce qu'il avait, encore une fois, raison.

— Je suis assez près de la vérité, n'est-ce pas ?

En effet. Mais il était également si près d'elle que la jeune femme pouvait voir les paillettes d'or scintiller dans ses étranges prunelles ambrées. Elle pouvait distinguer le léger tic nerveux qui agitait sa mâchoire, et son air de profonde frustration.

Embarrassée, elle ferma les paupières.

— Ne faites pas ça.

Elle sentit les doigts de Tanner lui prendre doucement le menton et l'obliger à relever la tête.

— Ne vous cachez pas.

— C'est une habitude chez moi, avoua Cami, en rouvrant les yeux.

— Ne le faites pas avec moi.

— Je n'ai pas le choix. Je sais que vous ne partirez pas comme les autres, et je ne veux pas succomber.

Une ombre de sourire flotta sur les lèvres de Tanner.

— Je n'ai vraiment pas envie de vous aimer, acheva-t-elle, le souffle court.

Le sourire de Tanner s'élargit.

— Vous voyez ? Vous venez d'être sincère avec moi. Est-ce que ça vous a fait mal ?

— Moins qu'un vaccin contre le tétanos.

Elle eut un sourire timide.

— Et il y a autre chose que vous devez savoir. Je n'ai pas envie d'avoir envie de vous.

— Mais c'est le cas.

— C'est exact. Et ça me fait faire des choses stupides. Comme porter cette robe.

Le regard de Tanner s'enflamma, tandis qu'il la détaillait très très lentement.

— Ce n'était pas une si mauvaise idée.

Leurs regards se croisèrent, restèrent un long moment rivés l'un à l'autre.

Cami sentit une onde de chaleur la traverser, et son cœur se mit à battre plus vite.

— Tanner, que nous arrive-t-il ?

— Il me semble que nous sommes attirés l'un par l'autre.

— Je ne veux pas ! Je viens juste de renoncer aux hommes.

— Quand ?

— La nuit dernière.

— Ne renoncez qu'à certains d'entre nous.

Elle tourna lentement la tête de gauche à droite.

— Sortez avec moi, dit-il, sans bien comprendre d'où avait jailli cette injonction. Laissez-moi vous prouver que nous ne sommes pas tous des sales types.

— Tanner..., commença-t-elle à protester.

— Juste une fois. Je vous offre la soirée dont vous avez toujours rêvé.

— Que savez-vous de mes rêves ?

— C'est vous qui m'en avez parlé. Ou plutôt, vous en avez parlé à vous-même, sur le répondeur.

— Oh, zut ! Comment ai-je pu oublier ? Vous avez vraiment tout écouté ?

— Avec la plus grande attention.

La jeune femme se rembrunit.

— Ça ne pourra jamais marcher entre nous.

— Vous avez accepté des dizaines de dîners plus désastreux les uns que les autres. Pourquoi ne voulez-vous pas me donner une chance ? Laissez-moi vous montrer comment ça doit se passer.

— Et après, vous me laisserez tranquille ?

— Absolument.

Probablement. Peut-être...

Bon, d'accord, il ne le ferait pas. Mais Cami avait besoin de ce genre d'assurance pour accepter sans perdre la face. A quoi bon lui dire toute la vérité ?

Il lui décocha son sourire le plus dévastateur.

— Voulez-vous que je vous prouve à quel point vous avez envie d'accepter ?

Cami eut un petit rire étranglé.

— Je ne crois pas...

Avant qu'elle ne puisse terminer sa phrase, il l'attira avec force contre lui, et s'empara de sa bouche. Il avait agi sans réfléchir, peut-être parce qu'il n'avait jamais autant désiré une femme. Mais, à la seconde où leurs lèvres se frôlèrent, tout son corps frémit, s'embrasa, et il sut qu'il était irrémédiablement perdu, que ce baiser ne lui suffirait pas.

Cette prise de conscience ne suffit pourtant pas à le dégriser. Plus rien ne comptait que ces lèvres tendres au goût délicat de framboise, qui s'entrouvraient dans un élan instinctif, se laissaient mordiller, caresser, explorer avec abandon.

Tandis que ses mains remontaient à l'aveuglette le long du dos de Tanner pour l'attirer plus étroitement contre elle, Cami eut l'impression de se consumer tout entière dans la violence et la passion de cette étreinte. Jamais encore on ne l'avait embrassée de cette façon. Jamais un homme ne lui avait communiqué son désir aussi violemment.

Chavirée, incapable de lutter contre l'émotion qui la faisait palpiter, elle répondit à cette soif dévorante, à cette urgence presque désespérée qu'elle sentait dans cette étreinte.

Soudain, Tanner la repoussa à distance et, brutalement ramenée à la réalité, la jeune femme battit des paupières.

— Vous aviez raison, dit-il d'une voix froide. Il est évident que vous ne ressentez rien pour moi.

Les lèvres humides, meurtries, gardant l'empreinte de celles de Tanner, Cami fit un effort pour se ressaisir.

— Vous n'y êtes pas du tout, murmura-t-elle.

— Expliquez-vous.

— Vous aviez raison à propos de… des autres. Je suis sortie avec eux parce que je savais que je ne mettais pas mon cœur en danger. Je ne serais jamais tombée amoureuse d'eux. Tandis qu'avec vous…

— Quoi, avec moi ? Vous croyez que je vous ferai souffrir ?

— Oui… Non. Ce que j'essaie d'expliquer, c'est que, avec vous, je ne pourrai pas m'empêcher d'éprouver certaines choses.

— Un dîner, Cami. C'est tout ce que je vous demande.

— Et ensuite ?

— Ensuite, vous saurez ce qu'est un rendez-vous réussi.

— C'est tout ?

— Evidemment. Qu'imaginiez-vous d'autre ?

— Et qu'avez-vous à y gagner ?

— D'être enfin débarrassé de mon obsession à votre sujet.

8.

C'était un amant fantastique.

Sensuel, généreux, exigeant. Et elle ne pouvait rien lui refuser. Surtout lorsqu'il lui murmurait ainsi à l'oreille, de sa voix infiniment troublante, des mots délicieusement hardis.

Elle accédait à toutes ses demandes, même les plus audacieuses.

Insatiable, il repartait à l'assaut de son corps, dessinait de ses lèvres un chemin sur sa peau frémissante. Il lui embrassait le ventre en décrivant des courbes savantes qui le conduisaient à l'aine, à l'intérieur des cuisses, lui infligeant une exquise torture, jusqu'à ce qu'elle en ressente de nouveau les effets étourdissants au plus profond de son corps.

— Encore, murmura faiblement Cami, tandis qu'elle émergeait lentement de sa rêverie.

Elle étouffait. Quelque chose pesait sur sa tête, l'aveuglait.

Agitant les bras en arrière, elle essaya de se redresser, entendit un bruit mat, suivi d'un feulement. Au moment où elle heurtait lourdement le sol, elle comprit.

Elle dormait sur le canapé, entortillée dans les couvertures, le chat lové autour de sa tête. Et elle avait encore une fois rêvé de Tanner.

— Ce n'est pas ma faute, se défendit-elle, alors qu'elle se trouvait nez à nez avec Annabel. Il embrasse tellement bien. Et puis, tu n'as qu'à aller dormir ailleurs.

Emergeant des couvertures, Cami aperçut avec étonnement son caleçon d'homme jaune à pois blancs, lequel constituait son seul vêtement. Elle avait la peau moite et brûlante, et ses cheveux pendaient lamentablement devant ses yeux.

— Il faut vraiment que je fasse une lessive, observa-t-elle à haute voix.

— Sans blague, s'écria Dimi, tandis qu'elle entrait dans le salon.

Elle portait le gilet favori de Cami, et tenait un tube de mascara à la main.

— Je ne trouve rien à me mettre dans ce désordre.

— Et si tu allais voir plutôt chez toi, pesta Cami. Ou chez maman, espèce de voleuse.

— Tu sais bien que maman ne se maquille pas. Et tu ferais mieux de te couvrir. Tu sembles oublier qu'il y a un homme chez toi. Un beau brun ténébreux qui ferait probablement une attaque en te voyant ainsi.

— N'importe quoi ! pesta Cami, en se drapant dans la couverture. Et ne t'avise pas de me piquer mon dernier sachet de chips !

Avec un haussement d'épaules, Dimi fit demi-tour vers le corridor.

— Au fait, un client a téléphoné, pendant que tu gémissais dans ton sommeil.

— Qui ?

— Tu vas rire ! Figure-toi que le cher fils de Mme Brown a renouvelé ses tentatives de séduction lors d'un autre rendez-vous organisé par elle, et que sa victime ne s'est pas montrée aussi charitable que toi. Résultat, il est en prison, et elle lui en veut à mort. Bref, elle veut se faire pardonner son attitude avec toi, et t'envoie son très cher et très riche ami cet après-midi. Lequel ami veut redécorer son petit pied-à-terre de *mille* mètres carrés.

— Oh, mon Dieu ! C'est vrai ? Tu ne dis pas ça parce que mon gilet te va atrocement mal ?

— Ce gilet me va merveilleusement bien.

— Pas du tout ! Il te fait un teint d'endive.

Elle devait à tout prix récupérer ce gilet.

— En plus, il te grossit, ajouta-t-elle, soudain inspirée.

— Zut ! s'exclama Dimi.

Elle fit glisser d'un geste rageur la fermeture du gilet, l'ôta, et le jeta en direction de Cami. Cette dernière s'empressa de le revêtir, tout en dissimulant un sourire de satisfaction.

— J'ai vraiment un nouveau client ?

Dimi, qui s'apprêtait à passer le seuil, lui jeta un regard par-dessus son épaule.

— On dirait bien. Ne sors pas avec son fils, et ça devrait marcher.

— Mouais, marmonna Cami, en se laissant tomber sur le canapé.

Annabel en profita aussitôt pour lui sauter sur les genoux.

— Tu sais quoi, ma vieille ? J'ai l'impression que les affaires démarrent.

Tout en grattant d'un geste machinal la tête du chat, elle laissa son imagination vagabonder. C'était presque trop beau.

Elle avait attendu ça depuis tellement longtemps, travaillé tellement dur pour en arriver là…

Et voilà que son rêve commençait à se réaliser.

Elle avait son premier vrai client, elle faisait réaménager sa maison…

La seule ombre au tableau, c'était Tanner.

Il représentait une telle énigme pour elle.

Elle le devinait fort, déterminé et intègre, capable d'affronter la vie sans jamais reculer devant l'adversité. C'était aussi un homme simple et doux, qui aimait les animaux, et supportait avec patience les bêtises d'Annabel.

Dans le même temps, il pouvait se montrer sombre, presque inquiétant. Et passionné, aussi. Par son métier, par la vie.

Quel effet cela ferait-il de se sentir l'objet de cette passion ? Il lui suffisait de fermer les yeux pour éprouver de nouveau le vertige qui l'avait saisie lorsque Tanner l'avait embrassée, pour revoir les images follement sensuelles qui avaient troublé son sommeil. Elle devait bien l'admettre, jamais un homme ne l'avait bouleversée à ce point. Il y avait chez Tanner une force impérieuse qui lui faisait perdre tous ses moyens.

C'était grotesque ! Combien de fois s'était-elle moquée des histoires qu'elle lisait dans les romans ? La passion qui balayait tout sur son passage, l'amour qui faisait faire toutes les folies, elle n'y croyait pas.

De toute façon, Tanner était bourré de défauts.

Il chantait faux. Son espagnol était plus qu'approximatif, et son accent atroce. C'était à se demander comment ses ouvriers faisaient pour le comprendre. Et puis, il jurait comme un vieux loup de mer, quand il se croyait seul.

Oui, mais il avait une voix tellement bouleversante. Chaque fois qu'il lui adressait la parole, elle sentait un frisson brûlant courir le long de sa colonne vertébrale.

Malgré tous ses efforts pour se persuader du contraire, elle le désirait. Si fort que la sensation en devenait physiquement douloureuse. Et psychologiquement terrifiante.

Tanner la découvrit endormie sur le canapé, enfouie sous une pile de couvertures. Cet après-midi, c'était décidé, il l'enlevait et lui faisait vivre un moment inoubliable. Cette pensée ne l'avait pas quitté une minute. Ce besoin de montrer à Cami à quoi ressemblait un rendez-vous réussi était totalement incompréhensible et, pour se rassurer, il avait fini par se persuader qu'il suffirait de cette sortie pour la chasser définitivement de son esprit.

— Il est l'heure, dit-il, en soulevant la jeune femme dans ses bras.

Dans un demi-sommeil, elle murmura son nom, et abandonna la tête au creux de son épaule.

— Mes rêves sont vraiment délicieux ce matin, dit-elle d'une vois enrouée.

Ce n'était pas vraiment le matin, et la situation était bien réelle, mais Tanner préféra rester bouche cousue.

— Hé, mais que se passe-t-il ?

Soudain complètement réveillée, elle redressa la tête et le toisa d'un regard noir. Très, très noir.

— Nous prenons rendez-vous.

— Pas question ! Vous savez qu'il y a une malédiction sur moi.

— Je suis prêt à prendre le risque.

— Pas moi.

Tandis qu'elle bataillait pour remonter la couverture qui ne cessait de glisser, Tanner eut le temps d'apercevoir un caleçon à pois, surmontant des jambes époustouflantes.

— Vous n'êtes pas très couverte, remarqua-t-il d'une voix étranglée.

— Il faut que je fasse ma lessive. Et ne changez pas de sujet !

— Acceptez mon invitation. Juste pour cette fois.

— Où voulez-vous m'emmener ?

— C'est une surprise.

— J'ai horreur des surprises.

— Celle-là vous plaira.

Elle l'observa un moment, et soupira.

— Après tout, pourquoi pas. Si ça peut vous chasser de mes rêves, faisons-le. Enfin, je veux dire, faisons cette sortie. Pas, faisons… Vous voyez ce que je veux dire.

Tanner éclata de rire.

— Vous voyez, vous venez de trouver une raison bien à vous de faire cette expérience. C'est comme ça qu'il faut voir la vie, Cami. Faites ce que vous voulez, saisissez les opportunités quand elles se présentent.

Le regard de la jeune femme se posa avec gourmandise sur les lèvres de Tanner.

— Je crois que je commence à aimer ma nouvelle personnalité.

Que Dieu lui vienne en aide, c'était exactement ce qu'il pensait.

— En route, dit-il.

Une grimace dubitative aux lèvres, Cami restait plantée comme une souche sur la rive, observant tour à tour le canoë gonflable que Tanner venait de poser à ses pieds, et les eaux tumultueuses de la rivière.

— Vous m'emmenez faire du canoë ?

— Ce n'est pas aussi romantique qu'une croisière de luxe, remarqua-t-il, en lui tendant une rame. Mais c'est sûrement beaucoup plus amusant.

Tandis qu'il stabilisait l'embarcation, Cami se glissa à l'arrière, en essayant de faire bonne figure.

— Vous croyez que c'est la bonne recette pour ne plus penser l'un à l'autre ?

Tanner prit place en face d'elle, et scruta son visage, où se lisait une appréhension qu'il commençait tout juste à comprendre.

— Je crois que vous devriez me parler de vos rêves, dit-il. Que je sache enfin pourquoi vous voulez à ce point vous en débarrasser.

Cami rougit violemment.

— Ils n'ont rien d'extraordinaire.

Détournant un instant son attention de la jeune femme, Tanner s'écarta de la rive en poussant sur sa rame, puis il plaça le canoë dans le sens du courant.

— Je suis sûr du contraire, affirma-t-il, alors qu'il évitait à temps une branche tombée.

— Pas du tout ! s'entêta Cami, les doigts crispés sur le rebord de l'embarcation. C'est une très mauvaise idée. Je le savais. J'ai accepté parce que j'ai eu peur de vos représailles. Vous auriez pu peindre mes murs en vert pâle, comme dans une clinique. Vous imaginez le tableau ?

— Votre maison ne pourrait pas être pire qu'elle ne l'est, croyez-moi. Mais est-ce la vraie raison de votre présence ? Ce ne serait pas plutôt à cause de cette attirance que nous avons découverte ?

— Je n'ai rien découvert du tout !

— Ce qui explique pourquoi je vous ai trouvée toute vibrante et langoureuse, marmonnant dans votre sommeil.

— Je n'étais pas du tout...

Ecarlate, la jeune femme prit une profonde inspiration, et s'exhorta au calme.

— Ne comptez pas sur moi pour participer, annonça-t-elle d'une voix tranquille.

Puis, elle se laissa aller en arrière, ferma les yeux, et offrit son visage au soleil.

Dans la lumière dorée, sans aucun maquillage, sa magnifique chevelure répandue sur les épaules, elle était loin de se douter à quel point elle était séduisante et désirable. Et Tanner réalisa combien il lui serait difficile d'échapper à la fascination.

— Finalement, ça me plaît, admit-elle d'un ton paisible, les paupières toujours closes. J'habite la région depuis toujours, et je n'avais jamais fait ça.

— Je n'habite ici que depuis un an, et je viens toutes les semaines.

Cami se redressa, surprise.

— Vous n'habitez ici que depuis un an ?

— Mon père ne supportait plus le climat de Los Angeles. Il y faisait beaucoup trop chaud pour lui. Nous sommes venus ici, durant sa convalescence, et nous n'avons plus voulu en repartir. Il s'est installé à Tahoe City, dans une résidence pour personnes âgées, et je ne l'ai jamais vu aussi heureux qu'à présent.

— Vous avez l'air de l'aimer beaucoup.

— C'est vrai.

— Moi, je n'aurais jamais déménagé pour mon père, avoua Cami. Pas plus que je ne lui aurais consacré une année de ma vie pour l'aider à guérir.

Elle eut une petite moue désabusée.

— Ça en dit long sur ma personnalité, non ?

— Ça dit juste que vous n'êtes pas très proches. Ce sont des choses qui arrivent plus fréquemment qu'on ne le croit.

— Je déteste la femme avec qui il vit en ce moment. Vous trouvez ça normal aussi ?

— Pourquoi la détestez-vous ?

— Parce qu'elle a beaucoup plus d'allure en maillot de bain que moi.

Tanner enveloppa sa silhouette d'un regard appréciateur, regrettant à part lui qu'elle fût aussi couverte.

— J'ai du mal à le croire.

Cami lui adressa un sourire ravi.

— Ça, c'est vraiment gentil.

Elle s'apprêtait à s'étendre de nouveau, quand un bruit suspect lui fit tendre l'oreille.

— Qu'est-ce que c'était ?

Tanner écouta à son tour, et reconnut le bruit caractéristique d'une fuite d'air.

— Une crevaison, je suppose, annonça-t-il d'un ton prudent.

Cami s'immobilisa, les yeux écarquillés de frayeur.

— Vous voulez dire que le canoë est en train de se dégonfler ?

— Il semblerait, dit Tanner, en lui lançant un gilet de sauvetage. Apparemment, vous êtes vraiment maudite.

— Vous me faites une blague ?

— Vous savez nager ?

— Répondez à ma question ! Vous me faites une blague ?

— Ce n'est pas le moment. Mais j'y penserai pour plus tard.

— Oh, mon Dieu !

Elle enfila à la hâte le gilet de sauvetage, sans quitter des yeux l'eau sombre et tourbillonnante. Comme un fait exprès, ils se trouvaient à l'endroit le plus profond et le plus dangereux de la rivière.

— Il n'y a pas de requins, la rassura Tanner.

— Je ne pouvais pas en dire autant lors de ma soirée avec Joshua.

En quelques gestes rapides et précis, Tanner vérifia le gilet de sauvetage de sa passagère.

— Je regrette d'avoir confisqué votre préservatif.

Cette remarque fit naître un sourire sur les lèvres de Cami.

— Oh, non, vous ne regrettez rien.

— Admettons. Mais je suis vraiment désolé pour le canoë.

— Ce n'est pas grave. Ça reste quand même ma meilleure sortie avec un homme depuis… un certain temps.

— Donc, vous êtes d'accord pour recommencer ?

La jeune femme éclata de rire.

— Pas question !

— Allez, je vous en prie… Nous réaliserons un autre de vos rêves.

— Non. Cette expérience avait pour but de me débarrasser de vous, et c'est fait. Vous ne me faites plus aucun effet.

— Vous êtes sûre ? Je vais être obligé de vous demander une preuve.

— Un baiser, par exemple ? Je suis certaine de rester complètement indifférente.

Un bras passé autour de sa taille, il l'attira doucement à lui, et ils se retrouvèrent à genoux dans le canoë qui s'emplissait lentement d'eau. Son autre main se posa sur la nuque de la jeune femme, ses doigts plongèrent dans sa magnifique chevelure, et il la vit retenir son souffle.

— Toujours indifférente ?

— Plus que jamais.

L'eau commençait à monter dangereusement dans l'embarcation, mais ni l'un ni l'autre n'y prêtaient attention.

Ses lèvres effleurèrent la gorge de Cami, là où palpitait follement une petite veine, lui arrachant un gémissement sourd.

— Aucune réaction ?

— Pas la moindre.

Alourdi par le poids de l'eau, le canoë sombrait lentement et la jeune femme s'agrippa au gilet de Tanner.

— S'il vous plaît, gémit-elle, alarmée.

— Encore un baiser.

Les lèvres de Tanner se posèrent sur les siennes et, sans plus chercher à résister, elle s'abandonna à cette étreinte. C'était un baiser d'une infinie douceur, et elle aurait aimé qu'il dure toujours. Mais l'eau leur arrivait maintenant à mi-cuisses, et elle s'écarta, le souffle court.

— Vous parlez d'une sortie réussie !

— Taisez-vous, et nagez ! lui ordonna Tanner.

9.

— Doux Jésus ! s'exclama Sara-Lynn Anderson, après avoir écouté le récit des mésaventures de sa fille. Avez-vous su ce qui avait provoqué la fuite ?

— Le destin, je suppose.

Son téléphone portable calé entre l'oreille et l'épaule, portant d'une main une lourde valise d'échantillons, et de l'autre un sac de voyage, Cami remontait l'allée goudronnée qui menait à sa maison. Elle venait de passer deux jours à San Francisco chez un client, à discuter tapis, tentures, et gamme de couleurs, et elle avait hâte de se mettre au travail.

Et, bien qu'elle ne l'eût avoué pour rien au monde, elle brûlait d'impatience à l'idée de revoir Tanner.

— Et ensuite, que s'est-il passé ? insista sa mère. Ne fais pas durer le suspense.

— Nous avons nagé jusqu'à la rive.

— Et puis ?

— Et puis, rien, dit Cami sur un ton aussi neutre que possible.

Mais ce fut peine perdue. Elle aurait pourtant dû savoir que sa mère était capable de repérer un mensonge à des dizaines de kilomètres à la ronde.

— Tu ne me dis pas tout, protesta Sara-Lynn, son antenne radar visiblement déployée et en parfait état de marche. Je sens qu'il y a autre chose.

Cami s'arrêta sur le seuil de la maison, et posa ses bagages.

— Maman !

— Raconte-moi la suite.

— Nous avons marché jusqu'à l'endroit où il avait laissé sa camionnette.

— Elle n'était pas en panne, quand même ? Ne me dis pas qu'il t'a abandonnée sur la route comme l'autre goujat.

— Oh, ça, elle fonctionnait ! L'employé de la fourrière n'a eu aucun mal à la déplacer.

— Quoi ?

Cami eut un rire amer. C'était tellement ridicule ! Et il n'y avait plus aucun doute, désormais : elle était maudite.

— Tanner s'était garé sur une zone réservée aux canards et le garde-pêche a fait enlever sa camionnette.

— Qu'est-ce que c'est que cette plaisanterie ?

— C'est très sérieux. Il existe des endroits protégés le long de la rivière où les canards rassemblent leur petite famille de canetons.

A l'autre bout de la ligne, sa mère s'esclaffa bruyamment.

— Oh, tu peux rire ! Tout ça, c'est ta faute, et celle de papa.

— Ah bon ? Et puis-je savoir comment tu en es arrivée à cette conclusion ?

— Eh bien, papa est toujours à la recherche de quelqu'un de mieux que la femme avec qui il vit. Quant à toi, tu décourages tous les hommes qui t'approchent parce que tu ne les juges pas assez bien pour toi. T'es-tu déjà demandé pourquoi j'acceptais les rendez-vous minables que tu me proposes ? Parce que je sais que ça ne marchera jamais. Ce qui m'évite de m'engager dans une vraie relation, au risque de rompre en cours de route. Ou d'être quittée, ce qui est plus vraisemblable.

— Personne n'aurait l'idée de te quitter, ma chérie.

— Bien sûr ! Je suis tellement parfaite…

Cami introduisit la clé dans la serrure, et constata que la porte n'était pas verrouillée. Au loin, lui parvenaient des bruits de marteau, et elle sentit son estomac se serrer.

Tanner !

Une impression de malaise diffus l'envahit. Malaise qui pouvait tout aussi bien être dû aux cinq beignets qu'elle avait avalés au petit déjeuner. Mais peut-être pas.

Soudain, elle comprit qu'elle s'était menti à elle-même durant des années. Elle prétendait vouloir vivre avec un homme, tout en affirmant qu'il n'y en avait pas un seul de valable. En réalité, elle n'autorisait aucun homme à lui démontrer ses qualités. Elle fuyait avant.

Bon, elle n'était pas plus avancée, maintenant. Elle avait toujours entendu dire qu'un problème identifié était à moitié résolu. Mais c'était loin d'être le cas en ce qui la concernait.

Elle avait peur. Bien plus que lorsqu'elle avait dû dormir dans la stupide voiture de ce stupide Ted. Bien plus que lorsqu'elle avait dû repousser les avances de Joshua.

Tanner ne comprendrait probablement pas qu'elle ait peur de lui. Il en serait sans doute meurtri après les efforts qu'il avait accomplis pour briser le mur de protection dont elle s'entourait...

— Chérie, j'hésite à te parler de ça...

— Ça m'étonne. D'habitude, tu n'hésites jamais à me donner ton avis.

— Tais-toi ! Je n'allais pas te faire de remontrances à propos de ta lessive.

Tant mieux ! En ce moment, Cami était tellement à court de linge, qu'elle avait dû employer les grands moyens : pas de petite culotte. Si sa mère apprenait cela, elle en aurait une attaque.

— J'ai un nouveau voisin. Il est jeune, et...

Oh, Seigneur ! Voilà que ça recommençait.

— Stop ! Je ne veux rien savoir de plus. Essaie plutôt avec Dimi. Il me semble qu'elle est chez elle. Probablement en train de dévorer toute la nourriture qu'elle a piquée chez moi, la sale voleuse.

— Ta sœur n'est pas une voleuse.

— Oui, c'est ça. Bon, il faut que je te laisse. Je t'embrasse.

— Attends une minute...

— Au revoir, maman.

D'un geste décidé, Cami interrompit la communication, puis elle hocha la tête. Certaines choses ne changeraient jamais.

Elle traversa le salon, se débarrassa de son téléphone, puis de ses bagages, et se laissa tomber sur le canapé.

— Cami ?

En entendant cette voix, elle ne put réprimer un frisson. Ils ne s'étaient pas beaucoup vus depuis leur mésaventure. Elle travaillait, et lui… En juger par sa tenue, ce n'était pas son cas.

Il se tenait dans l'embrasure de la porte, tellement beau qu'elle en serait tombée assise si cela n'était pas déjà fait. Elle ne l'avait jamais vu autrement vêtu que d'un T-shirt et d'un jean, et il semblait complètement différent avec cette chemise noire, coupée dans une étoffe incroyablement douce à l'œil, portée par-dessus un pantalon de même couleur. Ses cheveux noirs, légèrement humides, balayaient le col de sa chemise, et il était pieds nus.

Cami s'était toujours imaginé que les pieds des hommes étaient abominablement laids, et elle n'y avait jamais accordé d'attention.

Mais il n'y avait qu'un mot pour qualifier ceux de Tanner : sexy.

— J'ai pris une douche, expliqua-t-il. J'espère que ça ne vous dérange pas.

La déranger ? Elle aurait bien aimé être au courant avant. Cela lui aurait évoqué des images propres à alimenter ses fantasmes pendant au moins un an.

— J'ai quelque chose pour vous, annonça-t-il, tout à coup.

L'imagination de Cami se mit aussitôt en marche.

— Vous venez avec moi ?

Tanner lui tendit la main et l'entraîna vers le corridor, dont les murs venaient d'être fraîchement repeints, et le sol recouvert de parquet ancien. Il avait modifié l'installation électrique, ce qui allait enfin lui permettre d'éclairer à la fois sa chambre et la salle de bains sans faire sauter les fusibles.

— C'est magnifique, murmura-t-elle, en tendant la main pour éprouver la texture du mur.

— Ne touchez pas ! dit Tanner, en lui prenant la main. La peinture n'est pas tout à fait sèche. Et si c'est beau, c'est parce que vous avez un goût très sûr.

Elle lui fit face, ses deux mains désormais prisonnières des siennes, et scruta son visage, cherchant à lire sur ses traits ses pensées secrètes. Une lueur malicieuse brillait dans ses yeux d'ambre, comme s'il s'apprêtait à lui faire une bonne blague, et elle se troubla.

— Que mijotez-vous ?

— J'ai un nouveau rendez-vous à vous proposer. Avec moi, bien sûr. Mais, cette fois, il ne s'agit pas d'une surprise.

— Non, murmura-t-elle, sans grande conviction.

Pourtant, il lui fallait refuser. Elle l'avait trouvé quasiment irrésistible la dernière fois, même si la balade avait tourné au cauchemar. Elle ne pouvait pas prendre ce genre de risque une deuxième fois.

— Je croyais que nous nous étions débarrassés de notre attirance mutuelle, raisonna-t-elle.

— J'ai menti.

— Eh bien, pas moi, risposta Cami, d'une voix qui manquait d'assurance.

Elle s'éclaircit la gorge et fit une autre tentative.

— Vous ne me faites plus aucun effet.

— Chut ! fit Tanner en lui posant un doigt sur les lèvres.

Puis il la prit par le bras et la guida jusqu'à la chambre.

Il avait complètement terminé la pièce. Les poutres d'origine avaient été dégagées de leur gangue de ciment et de plâtre et nettoyées pour retrouver leur jolie couleur chêne. Le parquet était en place, et les boiseries anciennes qu'elle avait choisies pour recouvrir en partie les murs étaient posées. Au-dessus, l'enduit à la chaux était exactement de la couleur qu'elle désirait.

Tanner avait même remis son lit en place, avec le couvre-lit et les coussins qu'elle aimait tant.

C'était le seul meuble de la pièce.

Mais ce n'était pas ça le plus impressionnant. Partout, sur le rebord des fenêtres et sur le sol, brillaient des dizaines de bougies blanches. Une musique douce jouait en sourdine et, au pied du lit, était posé un panier débordant de victuailles.

Tanner se tourna vers elle et, dans la lumière vacillante des bougies, elle décela sur son visage une expression inquiète.

— Voici votre soirée de rêve. Un bon repas, des bougies, de la musique. nous pouvons parler, danser… Vous n'avez qu'à me dire ce que vous voulez. Tout est possible.

Oh, bon sang ! Elle allait se trouver mal.

— Dites-moi ce que vous voulez, Cami, insista-t-il, d'une voix caressante.

— Et après, vous me laisserez tranquille ?

Elle aurait pu jurer voir une lueur de déception ternir ce visage d'une incroyable beauté, mais elle disparut si vite qu'elle s'imagina avoir rêvé.

— C'est juré.

Persuadée qu'elle pouvait lui faire confiance, la jeune femme fit un effort pour se détendre.

— Vous vous êtes donné tellement de mal, constata-t-elle, admirative.

Tanner se dirigea vers le panier, en sortit une bouteille de vin et deux verres de cristal, qu'il emplit avant de revenir vers elle.

Lorsqu'il lui tendit son verre, ses doigts effleurèrent par mégarde ceux de Cami, et elle laissa échapper un petit cri de surprise, en proie à un tumulte de sensations hors de proportions avec un geste aussi simple.

— Quelque chose ne va pas ?

En dépit de la vive chaleur qu'elle sentait monter à son visage, la jeune femme se força à sourire et à paraître détendue.

Elle allait boire une gorgée de cet excellent cru, avec toute la sophistication dont elle était capable. Elle connaissait les usages du monde, que diable ! Et elle allait prouver à cet homme qu'elle maîtrisait parfaitement la situation.

Cela aurait pu marcher si elle n'avait pas été si nerveuse, si elle n'avait pas avalé de travers, et si elle ne s'était pas mise à tousser de la façon la moins sophistiquée qui fût.

Tanner lui prit le verre des mains, tandis qu'elle continuait à tousser, les yeux emplis de larmes, le visage écarlate.

— Je vais bien, parvint-elle à articuler, en grimaçant un sourire.

Elle était complètement ridicule ! Comment faire pour rattraper cette bévue ? Un peu d'alcool lui permettrait peut-être de surmonter son embarras...

D'un geste brusque, elle tendit la main vers Tanner pour reprendre son verre, et réussit l'exploit improbable d'en renverser le contenu sur sa chemise.

— Oh, zut ! Je suis désolée. Laissez-moi arranger ça.

Sans plus réfléchir, elle enfouit son visage dans le col ouvert de sa chemise et se mit à lécher du bout de la langue le torse musclé où perlaient quelques gouttes de vin.

Sous le choc, Tanner se figea.

— Attendez ! Laissez-moi posez les verres.

Mais, déjà, Cami s'attaquait avec fébrilité aux boutons de sa chemise, glissait les mains sur sa peau, se perdait en caresses sensuelles.

— Ne bougez pas, lui ordonna-t-elle.

Lentement, elle fit glisser le vêtement sur ses épaules, et il se trouva bientôt prisonnier, empêché dans ses mouvements par le verre qu'il tenait dans chaque main.

Enhardie, elle traça un chemin de baisers, de ses pectoraux à la musculature impressionnante, jusqu'à son estomac plat et ferme.

Parcouru d'un violent frisson, Tanner recula d'un pas, et la jeune femme en conçut un grisant sentiment de pouvoir.

— Cami..., essaya-t-il de protester.

Elle se plaqua contre lui et le fit taire d'un baiser. Elle refusait toute mise en garde. D'abord, parce qu'elle savait très bien qu'il s'agissait d'une aventure sans lendemain, et elle ne voulait pas laisser cette pensée déprimante entamer ses résolutions. Et puis, elle n'avait jamais autant désiré un homme.

La réaction de Tanner ne se fit pas attendre et, tandis qu'il répondait avec ardeur à son baiser, Cami sentit ses dernières peurs s'envoler.

— J'ai envie de vous, murmura-t-elle, contre sa bouche. A moins que vous ne préfériez dîner avant ?

Le rire rauque et profond de Tanner atteignit la jeune femme comme un coup de poing à l'estomac.

— C’est votre soirée, c’est vous qui décidez.

— Eh bien…

Elle sourit d’un air timide, en proie à un vertige d’une force incroyable. Le désir qu’elle éprouvait pour lui était comme une réaction chimique qui opérait au plus profond d’elle-même, un philtre en fusion qui irradiait dans ses veines.

— Ce que j’aimerais vraiment, c’est vous voir vêtu de votre ceinturon de cuir, et rien d’autre.

Cette fois, elle l’avait vraiment choqué.

— Mais, s’empressa-t-elle d’ajouter, on peut commencer par quelque chose de plus classique.

— Plus classique ?

Il avait l’air complètement abasourdi.

— Je peux poser ça d’abord ?

Elle laissa échapper un rire nerveux, lui prit les verres des mains, et s’accroupit pour les poser au sol.

Tanner l’aida à se relever, et l’attira contre lui.

Comme dans les rêves torrides qui venaient la hanter chaque fois qu’elle laissait le sommeil l’emporter, les mains de Tanner glissèrent sur le tissu délicat de son chemisier, commencèrent à défaire un à un les boutons, avec une lenteur qui galvanisa encore le désir qu’elle éprouvait déjà. Bientôt, il libéra ses seins de leur prison de dentelle blanche, les caressa de ses doigts habiles. Inclinant la tête, il prit entre ses lèvres le mamelon tendu de désir, le taquina du bout de la langue, le mordilla doucement, arrachant à la jeune femme des gémissements de plaisir. Dans un état second, elle le vit se débarrasser de ses vêtements et l’entraîner vers le lit. Il défit la boucle de sa ceinture, ouvrit son pantalon et le fit descendre le long de ses hanches. Au moment où elle allait se soulever pour mieux l'aider, Cami se souvint de quelque chose.

Et elle se figea.

Trop tard ! A en juger par son expression plus que troublée, Tanner avait déjà constaté qu'elle ne portait rien sous son pantalon.

— Cami, où est ta...

— J'ai décidé de m'en passer pour aujourd'hui.

Mutine, elle acheva de faire glisser son pantalon et enroula une jambe nue autour de la hanche de Tanner.

— Je ne crois pas que nous allons en avoir besoin ce soir.

Avec un grognement sourd, Tanner chercha à s'écarter.

— Attends.

Mais elle ne pouvait pas. Elle n'avait que trop attendu, et il était temps de libérer la passion qui la dévorait depuis tellement longtemps. D'un geste déterminé, elle attira Tanner contre elle, le fit rouler sur le dos, et s'installa à califourchon sur ses cuisses.

La caresse humide et tiède des lèvres de la jeune femme sur son visage et sur son torse éveilla aussitôt en Tanner l'irrésistible désir de la posséder sans plus attendre. Mais il se contint, ne voulant pas la priver de l'expérience qu'elle était en train de mener. Il laissa seulement ses mains vagabonder sur le corps de Cami, couvrant de lentes caresses sa peau satinée.

Son étrange passivité étonnait Cami. Son visage n'était plus qu'un masque de granit où ne passait aucune émotion. Ce n'était pas ce qu'elle s'était imaginé. Elle rêvait d'un corps à corps débridé, d'une étreinte sauvage, animale.

Pour la première fois de sa vie, elle voulait perdre le contrôle, s'abandonner à la passion la plus tumultueuse qui eût jamais existé.

Se soulevant légèrement, elle se laissa glisser le long de son sexe dressé, s'émerveillant de sa capacité à l'accueillir en elle.

Un gémissement rauque jaillit de la gorge de Tanner, tandis qu'il rejetait machinalement la tête en arrière.

— Ça va ? s'inquiéta Cami.

Les doigts de Tanner se crispèrent dans la chair voluptueuse de ses hanches.

— Tu es en train de me tuer, murmura-t-il, d'une voix enfiévrée.

— Tant mieux !

Alors, elle se lança dans une danse frénétique, lui imprimant son propre rythme, avec une ardeur dont elle ne se serait jamais cru capable. Jamais elle n'avait éprouvé ce feu violent qui lui faisait trouver d'instinct les gestes du plaisir, jamais elle n'avait été autant à l'écoute de son corps.

Les joues en feu, les yeux brillants, sa magnifique chevelure en désordre, elle était bouleversante de sensualité et, pour la première fois de sa vie, Tanner s'autorisait un total abandon. Plus rien ne comptait que la sensation de ce corps uni au sien, que cette exaltation inédite de se sentir entraîné vers un monde de sensations nouvelles.

Il réalisait soudain que l'amour venait de frapper à sa porte. Il ne s'y attendait pas, il n'avait rien prévu, mais l'évidence s'imposait avec une clarté désarmante : il aimait Cami. Follement. Irrémédiablement.

Et c'était merveilleux. Il n'y avait aucune raison de chercher à s'y dérober.

Rien ne l'empêchait de vivre avec elle.

Même s'il devait pour cela balayer quelques-uns de ses beaux principes, et bousculer certains a priori qui jalonnaient la vie de Cami comme autant de garde-fous.

10.

Contrairement à son habitude, Tanner émergea peu à peu du sommeil, reprenant difficilement contact avec la réalité.

L'ouïe lui revint en premier, et l'absence de bruit l'étonna. Puis vint une sensation de béatitude. Bien au chaud dans son lit, il se sentait détendu, sensible à son corps, au contact des draps sur sa peau.

A cette différence près qu'il ne se trouvait pas dans son lit.

Cami !

Soudain, il se rappela où il était, et ce qui s'était passé la veille : leurs corps à corps éperdus, les audaces incroyables de Cami, les heures magiques et tendres à tenter de se rassasier l'un de l'autre…

Un sourire réjoui aux lèvres, il se tourna vers la jeune femme, en énumérant mentalement les façons les plus agréables de la réveiller.

— Miaou.

Nez à nez avec Annabel, il se redressa et inspecta la pièce du regard. Les bougies étaient toujours là. Il n'avait donc pas rêvé.

Sur le sol gisaient encore les vêtements de Cami. Son chemisier, son pantalon…

Pas de culotte.

Ses sens s'enflammèrent à cette pensée. Il la voulait à côté de lui, tendre et offerte. Il voulait l'entendre de nouveau crier son nom.

Mais, plus que tout, il voulait lui faire part de ce qu'il avait découvert. Bien qu'il eût toujours refusé de s'engager, prétextant que son travail prenait toute la place dans sa vie, il se sentait prêt à changer.

— Désolé, Annabel, dit-il, en repoussant en même temps les couvertures et l'infortuné animal.

Une fois levé, il constata que ses vêtements avaient disparu. La seule chose qui fût encore là, c'était sa ceinture à outils qu'il était allé chercher, quelques heures plus tôt, pour se moquer des fantasmes de Cami.

Avec un petit sourire d'autodérision, il boucla la ceinture autour de ses hanches. Elle ne cachait pas grand-chose, mais tant pis.

Il trouva Cami dans la cuisine, occupée à siroter une tasse de café tout en regardant pensivement par la fenêtre. Apparemment, la vue de sa camionnette, garée devant le minuscule jardin, semblait la laisser perplexe.

Tanner se glissa derrière elle à pas de loup, et referma les mains autour de sa taille. Il la sentit tressaillir, esquisser un mouvement pour se retourner, et il l'obligea à rester immobile. Il avait besoin d'un peu de temps encore pour calmer les battements désordonnés de son cœur.

— Bonjour, murmura-t-il. J'ai quelque chose à te dire, et j'aimerais que tu ne m'interrompes pas.

— Mais…

— Non, s'il te plaît. C'est important. Je voulais te le dire hier soir, mais la situation m'a rapidement échappé.

La jeune femme sursauta.

— Je ne m'attendais pas à te rencontrer, Cami. Mais tu es entrée dans ma vie comme une bouffée d'air frais, alors que je n'avais même pas conscience d'étouffer.

Elle relâcha lentement sa respiration.

— Tanner…

— Je t'aime, Cami. Je sais que ça ne faisait pas partie du marché, mais…

S'arrachant à son étreinte, elle fit vivement volte-face.

— Comment ça, un marché ?

Tout à coup, elle prit conscience qu'il était nu. Elle ouvrit de grands yeux, parut un instant affolée, puis éclata d'un rire nerveux.

Ce n'était pas vraiment la réaction que Tanner espérait, et il se rembrunit.

— Cami, hurla-t-elle. Tu ferais bien de sortir de la douche. J'ai quelque chose à te montrer qui devrait te plaire.

Des bruits de pas martelèrent le plancher du corridor, et se dirigèrent vers la cuisine.

Tanner eut tout à coup l'impression de voir double. De surprise, il prit appui contre le comptoir, et s'en écarta aussitôt, saisi par le froid contact du marbre sur sa peau.

Cami numéro deux, vêtue en tout et pour tout d'une serviette, porta les mains à son visage.

Cami numéro un continuait à arborer une grimace hilare.

— Il a dit qu'il t'aimait, chérie. Essaie de te montrer charitable.

Elle saisit le torchon à vaisselle et le lança à Tanner qui tenta de s'en draper au mieux, sous le regard fasciné des deux Cami.

— Des jumelles, s'exclama-t-il, comprenant enfin la situation.

— Bravo, dit Cami numéro un. Vous êtes un rapide.

— Dimi, murmura la Cami qui se tenait près de la porte. Ma sœur.

Le regard de Tanner passa de l'une à l'autre, essayant de réaliser ce que cela impliquait.

— Mais, alors, chaque fois que je te croyais endormie, dit-il en désignant Cami, et que je te retrouvais dans la cuisine en train de manger des chips ou de marmonner des choses incompréhensibles, c'était…

Il se tourna pour pointer le doigt vers Dimi.

— C'était moi, reconnut cette dernière.

Tanner ne cessait de tourner la tête d'un côté et de l'autre, fasciné par la vision de ces deux femmes, si semblables, et pourtant si différentes.

— Je croyais que tu étais folle, dit-il à Cami.

— Elle l'est, affirma Dimi. Mais elle nous interdit d'en parler.

— Tais-toi, l'avertit sa jumelle.

Des dizaines de questions tourbillonnaient dans la tête de Tanner, la principale étant de savoir pourquoi Cami n'avait jamais mentionné cet aspect si important de sa vie.

Mais, à cet instant, quelque chose de plus grave encore le préoccupait.

Plus crucial que sa nudité, plus dramatique que le fait de s'être comporté comme un idiot en dévoilant son cœur à la mauvaise jumelle.

La bonne jumelle n'avait pas bronché en apprenant qu'il lui avait déclaré son amour.

— Bon, dit-il, les doigts crispés sur le torchon à vaisselle, qui avait une fâcheuse tendance à glisser de la ceinture. Je ne suis pas vraiment à mon avantage…

— Vous pourriez peut-être aller vous habiller, suggéra Dimi, sans bouger d'un iota.

Ce qui voulait dire que Tanner allait devoir lui tourner le dos pour regagner le hall, exposant ainsi la partie la plus charnue de son anatomie.

Horrifié à cette idée, il resta à sa place. Dimi fit de même, jusqu'à ce que Cami lui adresse un regard acéré.

— Bien, dit-elle, avec un soupir exagéré, dans la mesure où j'ai déjà vu l'essentiel, cela ne semble guère nécessaire. Mais, si vous y tenez…

D'un geste théâtral, elle se couvrit les yeux.

Cami n'en fit rien mais, au moment où Tanner passait près d'elle, elle s'écarta ostensiblement.

— Cami…

— Tu te poses sans doute des questions, murmura-t-elle, embarrassée.

— Non, tu crois ?

Elle eut une petite grimace d'excuse.

— Cami, je me suis adressé à ta sœur en la prenant pour toi, mais il faut que tu saches ce que j'ai dit exactement.

— Vous allez lui dire que vous l'aimez ? intervint Dimi, les yeux toujours masqués par sa main. Si c'est le cas, j'aimerais bien voir ça. D'abord parce que ce serait une grande première pour elle. Et parce que je l'aime aussi, et que je me sens un peu responsable de ce qui vient de se passer.

— Je vous interdis de regarder, lui intima Tanner.

Dimi n'en fit bien sûr qu'à sa tête, et posa sur Tanner un regard amusé.

— Laissez-moi vous mettre en garde, dit-elle d'une voix douce. Ma petite sœur est persuadée que l'amour n'existe pas. A votre place, je ne commencerais pas par ça.

— C'est vrai ? demanda Tanner, en se tournant vers Cami.

— Et je doute qu'elle vous dise pourquoi elle ne parle jamais de moi. Voyez-vous, elle est persuadée que j'ai plus de succès qu'elle auprès des hommes et que, si elle me présente son petit ami, il la laissera tomber pour moi.

— Dimi, tais-toi ! Je n'ai jamais pensé ça.

— Bien sûr que si. Et tu te trompes complètement. Tanner est là pour te le prouver. Aussi, j'aimerais que tu l'écoutes attentivement, que tu fasses preuve d'ouverture d'esprit, pour une fois.

— Dimi…

— C'est bon ! Je me tais.

— Et si vous nous laissiez seuls ? suggéra Tanner.

Dimi se campa plus solidement sur ses pieds, tandis que son visage affichait une expression offensée. Tanner soupira. Après tout, il ne pouvait lui en vouloir alors qu'elle venait juste de l'éclairer sur l'état d'esprit de Cami. A ce stade, toute information devenait infiniment précieuse.

— Bon, je vais m'habiller, annonça-t-il à Cami. Reste là.

— Je ne bouge pas.

Conscient qu'il ne pouvait pas en exiger davantage, Tanner se dirigea vers le corridor, en essayant d'ignorer le tableau grotesque qu'il offrait.

— Déshabille-toi, ordonna Cami à sa sœur, dès que Tanner eut quitté la pièce.

— Pardon ?

— Tu m'as entendue.

Cami détacha la serviette qu'elle avait enroulée autour de ses cheveux pour les préserver de la douche, et la lança à Dimi.

— Dépêche-toi.

Dimi ne fut pas longue à comprendre.

— Tu veux l'obliger à choisir entre nous deux ?

— Je veux voir s'il est capable de nous différencier.

— Non, ce que tu veux, c'est vérifier s'il te connaît vraiment bien. Ce n'est pas juste.

Malgré sa défiance, Dimi commença à retirer ses vêtements.

— Je me rends compte que tu n'as jamais joué franc jeu, et je t'ai toujours encouragée dans ce travers. Aujourd'hui, c'est différent. Ce pauvre garçon s'est mis à nu devant toi, et je ne parle pas de sa tenue ridicule. Tu ne crois pas qu'il serait temps de lui faire confiance ?

— J'en ai conscience. Mais le savoir et le faire sont deux choses différentes.

— Pourquoi cette mascarade ? Il ne pourra pas nous différencier. Personne n'en a jamais été capable.

Cami attendit que sa jumelle eût drapé la serviette autour d'elle, puis elle lui fit face. A ses yeux, les différences étaient frappantes. Le regard de Dimi était plus serein, ses traits plus fins, son port de tête plus confiant.

— Cami ?

La jeune femme sursauta en entendant au loin la voix de Tanner.

— Ecoute, murmura-t-elle nerveusement à l'oreille de sa jumelle. S'il me reconnaît, alors c'est qu'il est vraiment l'homme de ma vie.

— Tu es prête à en accepter les conséquences ?

Cami eut la sensation qu'un étau lui compressait le cœur.

— Je ne sais pas... Mais il n'y a aucune raison de s'inquiéter. Il ne pourra jamais faire la différence.

— Comme tu veux. Mais laisse-moi te dire que je me sens terriblement malheureuse pour lui.

— Ne triche pas ! chuchota Cami, au moment où Tanner entrait dans la pièce.

Une expression effarée se peignit sur son visage, à la vue des deux sœurs enroulées chacune dans une simple serviette de bain. Cami songea qu'elle aurait pu en rire si le moment n'avait pas été aussi crucial.

— C'est vraiment impressionnant, reconnut-il, d'une voix nerveuse.

Dimi lui adressa un petit sourire d'encouragement.

La gorge serrée, Cami comprit qu'elle devait intervenir avant que sa sœur ne lui donne un indice.

— Qui suis-je ? demanda-t-elle, de son ton le plus neutre.

Le regard de Tanner fit plusieurs fois l'aller-retour entre les deux sœurs. Puis il avança vers elles, et se mit à tourner lentement autour de Dimi, tout en l'examinant d'un œil acéré.

Sur des charbons ardents, Cami subit le même traitement. Il était presque impossible d'ignorer les picotements qui parcouraient tout son corps, l'accélération de son sang dans ses veines, les battements désordonnés de son cœur.

— Nerveuse ? demanda Tanner, en caressant du bout des doigts la chair de poule qui se formait sur ses bras.

Cami se contenta de hocher la tête. Comment ne pas se troubler sous l'intensité du regard qui la fixait ? Dans les profondeurs de ses étranges prunelles d'ambre, elle pouvait lire tant de choses : la tendresse, la chaleur, la complicité, mais aussi quelque chose d'autre, qu'elle n'aurait su définir, et qui la troubla profondément.

Il n'avait pas le droit de la regarder ainsi. Ça ne faisait pas partie du plan.

— Alors, qui de nous est Cami ? demanda Dimi. Elle ou moi ?

— Il y a quelque chose à gagner ? demanda Tanner, sans jamais quitter Cami des yeux.

— Moi, bien sûr ! affirma Dimi. Elle eut un petit sourire moqueur. Ou elle.

Les mots restaient coincés dans la gorge de Cami. Elle ne pouvait rien faire d'autre que d'avaler sa salive, terrassée par l'incroyable révélation qu'elle venait d'avoir.

Tanner l'aimait.

— Vous devriez peut-être ôter la serviette, suggéra Tanner, d'une voix doucereuse.

D'un même geste, les jumelles plaquèrent les bras autour de leur buste, et il éclata d'un grand rire moqueur.

— Je plaisantais ! Je sais déjà qui est qui. Je le savais au moment où je suis entré dans la pièce.

Un frisson parcourut Cami, tandis que Tanner la regardait de nouveau de haut en bas, et elle sentit le sol se dérober sous ses jambes. S'il avait vraiment deviné qui elle était, elle allait devoir honorer sa promesse. Ça voulait dire qu'il était vraiment l'homme de sa vie, et qu'elle ne pourrait plus se dérober à l'amour.

Et cette pensée était absolument terrifiante.

— Il faut que je vous prévienne, dit Tanner, d'un ton lourd de suspense. Je vais embrasser la femme que je crois être à moi.

A lui ! Le cœur de Cami fit un bond dans sa poitrine.

— Je vais l'embrasser à lui couper le souffle. Je vais la ramener dans cette chambre qu'elle n'aurait jamais dû quitter, et je vais lui prouver à quel point je l'aime.

Les deux sœurs échangèrent un regard inquiet.

— Prêtes ? demanda Tanner, d'un ton doucereux.

Sûrement pas ! Cami ne pouvait plus supporter cette tension grandissante. Pourquoi avait-elle eu l'idée de ce jeu stupide ?

Et s'il se trompait ? S'il choisissait Dimi ?

— Prête, murmura cette dernière, avec une mine gourmande qui lui attira un regard réprobateur de Cami.

Tanner fit un pas en avant, et Cami retint son souffle.

11.

L'une de ces deux femmes avait volé à jamais son cœur. Et il savait laquelle. Il ne bluffait pas lorsqu'il avait affirmé le savoir en entrant dans la pièce. Et, s'il avait eu le moindre doute, la nervosité de Cami aurait suffi à l'éclairer.

Pauvre petite. Elle était terrifiée à l'idée qu'il puisse l'aimer, et tout aussi terrifiée par la perspective de le perdre.

Pris de pitié, il se rapprocha encore d'un pas, posa les mains sur le haut de ses bras, et l'attira vers lui.

La tête légèrement inclinée, il s'apprêtait à l'embrasser, quand une main ferme se posa sur son torse.

— Je sais que c'est toi, murmura-t-il, les yeux plongés dans son regard apeuré.

— Quelle assurance !

Sa poitrine ronde et pleine se souleva, dans un effort visible pour retrouver une respiration normale.

— Toujours, quand il s'agit de toi.

— Oh, bon sang ! s'exclama Dimi. Ça mérite un dix sur l'échelle de la surprise.

— C'est bien la première fois que quelque chose te surprend, mademoiselle je-sais-tout.

— On ne joue plus, là, Cami. C'est important. Il t'aime. Il t'a reconnue. A toi d'en tirer les conséquences. Maintenant, si ça ne t'ennuie pas, je vais vous laisser. Quelque chose me dit que tu ne vas pas garder longtemps cette serviette sur toi.

L'air effaré, Cami agrippa la main de sa sœur, mais cette dernière se dégagea.

— Ne m'en veux pas, chérie. Mais ce ne serait vraiment pas un scoop. Je vous ai déjà vus nus tous les deux, et j'ai une tarte au citron qui attend avec impatience mon légendaire glaçage meringué.

Elle ramassa ses vêtements, se dirigea vers la porte de sa démarche de reine, et tourna la tête pour s'adresser à Tanner.

— Allez-y doucement. Elle est vraiment nulle avec ces histoires de sentiments. Elle pourrait même prendre la poudre d'escampette si vous n'y prenez pas garde.

— N'importe quoi ! protesta Cami. Je suis là, et je n'ai pas l'intention de m'en aller.

— Dans ce cas, elle fera celle qui ne comprend pas. C'est sa deuxième porte de sortie.

— Me voilà prévenu, déclara Tanner, d'un ton faussement solennel. Merci. Je crois que je vais pouvoir m'en sortir.

Il le fallait. Parce que rien n'avait jamais autant compté à ses yeux.

Se tournant vers Cami, il lui prit le visage entre les mains.

— Enfin seuls.

— Elle t'a fait un signe, c'est ça ?

Tanner lui caressa doucement la mâchoire, glissa les doigts dans sa magnifique chevelure défaite. Il la sentit frémir, chercher sa respiration, mais son regard restait méfiant.

— Elle n'en a pas eu besoin, Cami. Je savais qui tu étais dès le début.

— Ça n'a pas toujours été vrai. Souviens-toi, tu me prenais pour une blonde écervelée incapable de décider ce qui était bien pour elle.

— Tout le monde peut se tromper. Maintenant, je sais que tu as toute ta tête, et que tu sais très précisément ce que tu veux.

— Tu crois ? demanda-t-elle, en le poussant jusqu'à ce qu'il heurte la table de cuisine. Qu'est-ce que je veux, à ton avis ?

— Je ne sais pas. A toi de me le dire.

Pour toute réponse, elle se hissa sur la pointe des pieds et déposa un baiser sur ses lèvres. Un baiser léger, qui s'enflamma, lui communiquant une vibrante exigence.

« Réfléchis, s'ordonna Tanner. Elle oublie quelque chose. Elle semble soulagée, mais… Oh, mon Dieu, elle détache sa serviette ! »

Ignorant les informations qui parvenaient à son cerveau, Tanner ne pensa plus qu'aux bras doux et blancs comme des ailes de colombe qui se nouaient autour de son cou, aux seins durcis qui se plaquaient contre son torse, aux mains habiles qui se glissaient sous son T-shirt.

Docile, il leva les bras, et se laissa ôter son vêtement.

— Aime-moi, Tanner, murmura-t-elle.

Très tendrement, il lui caressa les cheveux et la nuque. Puis, sa main glissa sous le menton de Cami, et lui releva gentiment la tête.

— C'est ce que je fais.

Longuement, les yeux fermés, presque sans bouger, ils s'embrassèrent, goûtant la joie d'être de nouveau ensemble.

Puis, leurs baisers se firent plus pressants, plus intenses, tandis que les mains de Tanner parcouraient les formes voluptueuses que la jeune femme offrait à ses caresses, tièdes, douces, imprégnées d'une odeur subtile de gel douche et de crème hydratante.

— Je regrette d'avoir raté l'épisode du ceinturon de cuir, le taquina Cami, tandis que ses doigts se refermaient sur le premier bouton de son jean. Tu pourrais peut-être me donner une autre chance ?

— Nous verrons.

Il ne lui fallut que quelques secondes pour jeter au loin son jean. Puis, prenant appui contre la table, il glissa les mains sous les fesses de la jeune femme, et la souleva. Les bras noués autour de son cou, les jambes enroulées autour de ses hanches, le nid humide et brûlant de sa féminité palpitant contre son sexe dressé, elle laissa échapper un gémissement.

— Je t'en prie, je t'en prie, murmura-t-elle.

Comme s'il pouvait résister plus longtemps ! Elle avait les doigts crispés sur sa nuque, la langue dans sa bouche, et les pointes durcies de ses seins menaçaient de lui perforer le torse.

Pivotant sur lui-même, il la renversa sur la table, impatient de posséder ce corps sublime. Frémissante, les yeux brillant d'un désir sans limites, elle s'offrait sans retenue, impatiente d'éprouver au plus profond d'elle-même les assauts redoublés de ses reins puissants.

Il l'entendit murmurer son nom, souffle à peine audible, tandis qu'il se perdait dans sa chaleur.

Il aurait voulu lui faire l'amour lentement, faire durer indéfiniment cette étreinte, mais il avait trop faim d'elle.

Cami semblait gagnée par la même frénésie et ils se laissèrent surprendre par un plaisir presque immédiat, irrésistible, qui déferla en eux comme une énorme vague.

— Cami…

— Ne dis rien ! Tu n'as pas trouvé ça bien ? dit-elle avec un sourire tendrement moqueur.

— Au contraire. Mais…

Le sourire de la jeune femme se ternit quelque peu.

— Oh, oh ! Il y a toujours une mauvaise nouvelle derrière un « mais ». Surtout quand c'est dit sur ce ton-là.

— Pas du tout.

— Tu es sûr ? Parce que mon expérience m'a appris qu'un « mais » précède toujours une forme de rejet.

— Tu vas me laisser parler, à la fin ? fit mine de s'énerver Tanner. Tu ne vois pas que j'essaie de te dire quelque chose.

L'expression de Cami se fit câline, séductrice.

— Tu n'aurais pas plutôt envie de m'embrasser ?

Les bras noués autour de son cou, elle se laissa glisser à terre, et se plaqua étroitement contre lui.

— J'adorerais, mais…

— Encore un « mais ».

— Mais, poursuivit Tanner, en posant le front contre celui de la jeune femme, il n'y a pas que le sexe dans la vie. Même si j'avoue que je trouve ça délicieux.

Avec une infinie délicatesse, il la repoussa à distance raisonnable, et chercha son regard.

— Cami, je…

— Attends ! s'écria-t-elle, brusquement saisie de panique.

Ce n'était pas possible ! Elle n'était pas prête. Mais, si elle lui expliquait ce qui lui faisait peur, si elle lui demandait de se montrer patient, que se passerait-il ?

Un homme tel que Tanner n'était pas du genre à s'asseoir et à bayer aux corneilles en attendant qu'une femme se décide.

Tandis qu'elle se torturait l'esprit, il se pencha vers le sol, ramassa la serviette dont elle s'était débarrassée quelques minutes plus tôt, et la drapa autour d'elle. Puis, il la poussa vers une chaise, et la fit s'asseoir.

— Cami, je t'aime, dit-il, avant qu'elle ait eu le temps de réagir.

— Attends ! Il faut que je m'assoie.

— Tu es déjà assise. Et ce qu'il faut que tu saches, c'est que cet amour-là est du genre à durer toujours.

Un hurlement de victoire se fit entendre derrière la porte de la cuisine.

— Tu vois ? dit la voix de Dimi. Tu es bien obligée de me croire, maintenant.

— C'est un miracle ! dit une autre voix, extatique.

— Ma mère, gémit Cami, en se prenant le visage dans les mains.

— Comment ça, ta mère ? Tu veux dire qu'elle est là ?

Soudain, il pâlit.

— Et la porte qui n'est même pas fermée !

Etant donné sa tenue, Cami n'avait aucun mal à comprendre son affolement.

— Ramasse vite ton pantalon, dit-elle, tout en s'assurant que sa serviette ne risquait pas de glisser.

Tanner enfila une jambe, puis se rendit compte que son jean était tout tirebouchonné. Sautillant sur un pied, il prit appui contre la table, et fit un deuxième essai.

— Trop tard, gémit Cami, tandis que Tanner enfilait tant bien que mal sa chemise. On ne peut rien cacher à ma mère. On dirait qu'elle possède un don de médium dès qu'il s'agit de moi ou de Dimi. Et, en plus, ta chemise est à l'envers.

Tanner lui jeta un regard horrifié.

— Tu veux dire qu'elle va deviner ce que nous avons fait sur la table de cuisine ?

— Arrêtez de vous inquiéter pour nous, déclara Sara-Lynn, en faisant irruption dans la cuisine, et terminez plutôt cette passionnante conversation. Cami, dis-lui que tu l'aimes, qu'on en finisse, et allez passer une tenue décente. J'ai hâte de faire la connaissance de mon futur gendre.

Les yeux de Tanner s'agrandirent comme des soucoupes. Il n'avait plus seulement l'air livide, il semblait sur le point de s'évanouir. Quant à Cami, elle ne rêvait que d'une chose, que le sol s'ouvre sous ses pieds et l'engloutisse.

— Tu n'en as pas assez de me gâcher la vie, maman ? Occupe-toi un peu de Dimi, pour changer.

— Elle est la prochaine sur ma liste.

— Va-t'en !

— Au risque de louper ce qui va se passer ? Tu veux rire, je suppose ?

Tanner s'acharnait avec maladresse sur les boutons de sa chemise. Il avait les cheveux en bataille, l'air d'un enfant pris en train de faire une bêtise, et Cami sentit son cœur déborder d'amour.

Cet homme incroyablement beau et sensuel était amoureux d'elle.

— Tu vas dire oui ? s'impatienta Sara-Lynn. Je meurs de soif, et je prendrais bien une tasse de thé.

— Je suis désolée, dit Cami, avec une petite grimace à l'attention de Tanner.

— Tu m'avais dit qu'elle était un peu autoritaire, murmura ce dernier, en guise de réponse.

— Attention, Tanner ! Pour le moment, je suis de votre côté, mais ça pourrait changer. Quel est son nom de famille ? demanda-t-elle à une Dimi anormalement silencieuse.

— Je crois que nous allons devoir remettre cette conversation à plus tard, constata Tanner.

— Je t'ai dit que j'étais désolée ? murmura Cami, penaude.

— C'est fait. Mais, en réalité, je pense que tu es soulagée.

— Soulagée que ma mère me fasse honte ?

— Merci, chérie, dit cette dernière, feignant d'être vexée.

— Cami, soit honnête ! Tu n'étais pas vraiment prête à aborder ce sujet.

Cami plongea les yeux dans son regard tendre et compréhensif, et reconnut qu'il avait raison. Elle tenait à lui, mais, pour le reste… C'était une idée beaucoup trop terrifiante.

— C'est vrai, admit-elle, je ne suis pas prête.

— Ce n'est pas grave. Tu prendras ta décision le moment venu. L'important, c'est qu'elle vienne vraiment de toi. Surtout, ne te laisse pas influencer.

Bon sang ! Il n'était quand même pas en train de lui faire ses adieux ? Ce n'est pas parce qu'elle avait besoin d'un peu de temps qu'il devait l'abandonner.

— Tanner ? demanda-t-elle, d'une petite voix mal assurée.

— N'aie pas peur ! Et ne renonce pas à tes principes si tu crois qu'ils peuvent te rendre heureuse. Penses-y en ton âme et conscience. Promis ?

— Mais…

Il posa un doigt sur ses lèvres.

— C'est toi qui as dit « pas de mais ». Tu te souviens ?

Incrédule, elle le regarda saluer sa mère et sa sœur, avant de disparaître dans le couloir.

12.

Tanner passa le week-end chez lui. Il avait un millier de choses passionnantes à faire : mettre à jour sa comptabilité, faire les courses, et regarder un match de base-ball.

Finalement, il ne fit rien de tout cela, et se contenta de rester couché sur le canapé, à contempler le plafond.

Pour la première fois, il avait permis à une femme de prendre le contrôle de sa vie, d'en faire partie intégrante, et elle ne voulait pas.

Croyait-elle être la seule à avoir peur ?

S'autorisant un moment d'apitoiement, il ferma les yeux et laissa les souvenirs torturer son esprit.

Il revoyait Cami lui ouvrir la porte, le jour de leur première rencontre, incroyablement émouvante avec ses yeux lourds de sommeil, sa moue boudeuse… et sa couverture.

Il revivait sa partie de cache-cache avec Annabel, tandis qu'elle essayait de sauver une stupide araignée des griffes de l'animal.

Il se remémorait sa colère après ses rendez-vous cauchemardesques.

Et son regard vibrant de passion lorsqu'ils avaient fait l'amour.

— Une peine de cœur ?

Tanner sursauta si fort qu'il manqua tomber du canapé.

Son père se tenait devant lui, un plateau à la main.

— Tu es tellement perdu dans tes rêves que tu n'as même pas entendu la porte.

— Que fais-tu ici ?

— Tu le vois bien, je t'ai préparé un petit en-cas.

Le vieil homme posa le plateau sur la table basse et prit place sur le canapé.

— Alors, quoi de neuf ?

— L'équipe des Angels s'est fait battre à plate couture.

— Je ne parlais pas de base-ball, fiston, mais de tes relations avec les femmes. Ou peut-être devrais-je employer le singulier ?

— Il n'y a rien de spécial à dire.

— Ce qui explique que tu sois dans un état à faire peur.

— Pas du tout. Je vais très bien.

Renonçant à mentir, Tanner prit une bouchée de sandwich au thon, et la fit passer avec une gorgée de bière.

— Je l'aime, avoua-t-il, l'air misérable.

— Je sais, dit son père.

— Mais elle n'est pas prête.

— Eh bien, ça vous fait déjà un point commun. Toi non plus, tu n'étais pas vraiment prêt, jusqu'à ces jours derniers.

— Ouais…

Le vieil homme sourit devant l'expression désenchantée de son fils.

— Ne t'inquiète pas ! Chez les James, les hommes ont un charme auquel il est difficile de résister. Ta mère, par exemple, il ne lui a pas fallu longtemps pour se décider.

— Mais j'ai toujours cru que maman avait eu le coup de foudre pour toi.

— J'aurais bien aimé. Evidemment, je ne la laissais pas indifférente. Le vieil homme eut un petit clin d'œil coquin. J'étais assez beau gosse, il faut le dire. Mais elle a dû peser le pour et le contre, décider si elle aurait assez de force pour changer mes mauvaises habitudes.

— Maman t'a fait changer ?

— C'est ce qu'elle s'est toujours imaginé. Il eut un petit sourire attendri. Et cet arrangement a plutôt bien fonctionné.

Tanner hocha la tête.

— Je veux que Cami m'accepte tel que je suis.

— Et c'est le cas.

— Comment le sais-tu ?

— Parce que tu es mon fils. Comment une femme ne pourrait-elle pas t'aimer ?

Tanner aurait bien aimé croire son père, mais, lorsqu'il revint travailler, le lundi matin, il avait le moral en berne.

La radio était branchée sur sa station préférée et diffusait du rock.

Etrange ! Cami détestait ce genre de musique.

Elle était assise par terre, dans le salon, et parlait au téléphone avec quelqu'un.

— Non, c'est impossible pour moi. J'ai un rendez-vous très important. Le plus important de toute ma vie. Alors, ce sera mardi ou pas du tout.

Le peu d'espoir qui restait à Tanner s'évanouit complètement. Cami avait pris une assurance qu'il ne lui connaissait pas. Elle savait désormais ce qu'elle voulait, et n'hésitait pas à le faire savoir haut et fort.

Le téléphone à peine raccroché, elle reprit la ligne, avant que Tanner ait eu le temps de signaler sa présence.

— Maman ? dit-elle, avec une énergie inhabituelle. Oui, je sais qu'il est tôt. J'ai eu ton message. Je suis désolée que tu m'en veuilles parce que je ne t'ai pas offert le spectacle que tu espérais, l'autre jour, mais ma vie privée m'appartient. Et dorénavant, j'apprécierais que tu gardes tes commentaires pour toi. Surtout en ce qui concerne les hommes. D'ailleurs, à ce propos, plus de rendez-vous arrangés. Par contre, tu peux casser les pieds de Dimi autant que tu veux, tu as ma bénédiction. Maintenant, ma petite maman, il faut que je te laisse. J'ai quelque chose de très important à faire.

Elle coupa la communication, et composa très vite un autre numéro.

— Dimi ? Je viens de prévenir maman, et je te le dis à toi aussi : plus de rendez-vous arrangés... Non, pas question ! Non, je te dis, c'est terminé. Au fait, je lui ai conseillé de s'occuper de toi. Bonne chance, sœurette adorée. Bon, il faut que je me dépêche. J'ai un truc très très spécial prévu dans dix minutes... Je sais, il est affreusement tôt. Mais tu sais quoi ? J'ai découvert que j'adorais les matins... Eh bien, oui, j'ai changé d'avis ! Tu n'as qu'à me faire un procès. Salut, ma vieille.

D'excellente humeur, Cami raccrocha, et poussa un soupir de soulagement.

— Ah ! Ça fait vraiment du bien, dit-elle à haute voix.

Tanner ne pouvait qu'approuver. Elle avait l'air en pleine forme, parfaitement épanouie, et heureuse de sa nouvelle capacité à dire non.

Le seul problème, c'est que la nouvelle Cami avait encore à régler ses comptes avec une personne : lui.

C'était au-dessus de ses forces, il ne pouvait pas essuyer une fin de non-recevoir aujourd'hui. Reculant à pas prudents, il tenta de regagner la porte.

Comme un fait exprès, il marcha sur la queue d'Annabel, qui poussa un miaulement à fendre l'âme.

Par réflexe, il cria à son tour.

Et Cami se rua sur lui, manquant le faire tomber dans son enthousiasme.

— Salut, dit-il, maladroitement.

— Tu es en avance.

— Pas tellement.

— De dix minutes, précisa-t-elle, visiblement agitée. Tu es là depuis longtemps ?

Suffisamment pour savoir qu'il devait s'attendre à une terrible déception.

— Disons que j'ai eu un petit aperçu de ta nouvelle personnalité.

— Oh !

Elle grimaça un sourire nerveux, dont il ne comprit pas la raison. Maintenant, c'était à son tour de se faire rembarrer.

— Et ça te plaît ?

— C'est toi qui me plais.

Le visage de la jeune femme se décomposa.

— Bien. Je te plais. C'est très bien.

D'une main tremblante, elle s'empara de son porte-documents et se dirigea vers la porte. Elle n'avait pas la moindre idée de l'endroit où elle allait. Une seule chose était sûre : elle avait besoin d'air. L'homme dont elle était éperdument amoureuse, celui dont elle était prête à partager la vie, avait fini par réaliser qu'il la trouvait plaisante. Sans plus.

— Où vas-tu ? s'enquit Tanner.

— Voir un client.

Et tenter de rassembler toutes les pièces de son cœur brisé.

Le hasard voulut que leurs yeux se rencontrent, et elle comprit qu'elle faisait fausse route. N'était-ce pas cet homme qui lui avait dit de suivre son cœur ? De décider ce qui était bien pour elle, sans se laisser influencer ?

— Et puis, zut ! s'exclama-t-elle, jetant son porte-documents sur une chaise.

Puis, elle envoya valser ses sandales, et se planta devant Tanner, l'air décidé.

— Tu pensais vraiment ce que tu m'as dit ?

Tanner sembla peser prudemment la question.

— J'ai dit beaucoup de choses…

— Qu'il n'y avait pas que le sexe, dans la vie ?

— C'est exact.

— Que tu voulais autre chose ?

— Toujours exact.

— Que tu m'aimais ?

— Je m'en souviens. Mais que fais-tu là à ergoter sur tout ce que j'ai dit ? Je croyais que tu avais un rendez-vous.

— C'est toi mon rendez-vous. D'ailleurs…

Elle eut un regard inquiet vers sa montre, et courut monter le son de la radio.

— Que fais-tu ?

— Chut ! dit-elle, tandis que le présentateur commençait à parler.

— Et voici un message pour l'un de nos plus fidèles auditeurs, j'ai nommé Tanner James, qui habite à Truckee.

Les yeux fixés sur l'homme qu'elle aimait, le cœur battant à tout rompre, Cami guettait sa réaction avec anxiété. Pour le moment, il ouvrait de grands yeux ébahis, regardant tour à tour le poste de radio et la jeune femme.

— Tanner, mon vieux, je te conseille de t'asseoir, annonça le présentateur.

De plus en plus ébahi, Tanner se laissa tomber sur le canapé.

— Tanner, aujourd'hui est un jour à marquer d'une pierre blanche. La femme que tu aimes... Ça va, vieux, tu tiens le coup ? La femme que tu aimes, donc, me demande de te dire qu'elle s'est trompée. Hé, vous entendez ça, les amis ? Prenez des notes, vous n'aurez peut-être pas l'occasion de vivre ça deux fois. Une femme avoue devant des milliers d'auditeurs qu'elle s'est trompée. Elle l'a laissé se dévoiler, lui dire qu'il l'aimait, sans rien lui répondre en retour. Aïe ! Ça doit faire mal, hein ? Elle est désolée, mon vieux.

— Je regrette, murmura Cami.

— Tanner, elle veut que tu saches qu'elle t'aime.

— Je t'aime, répéta Cami.

— Et, maintenant, attention ! annonça le présentateur avec emphase.

Un roulement de tambour entretint quelques instants le suspense, puis il reprit, d'une voix exagérément enjouée.

— A toi de jouer, Cami.

— Je veux t'épouser, dit-elle, en venant s'asseoir près de Tanner. J'ai compris que je t'aime et que je veux vivre avec toi pour toujours. Tu es d'accord ?

— Tanner, sacré veinard ! Allez, rien que pour toi, une chanson d'amuuuuur. Et chez vous, les gars, on monte le volume !

La musique emplit la pièce, et Cami croisa les doigts, le cœur battant, tandis que Tanner peinait à émerger de son hébétude.

— Je croyais que tu allais me laisser tomber.

— Je suis désolée.

— Je croyais que j'allais passer le reste de ma vie à panser mes blessures.

— Je suis désolée.

— J'étais loin de m'imaginer…

— Tanner, ça t'ennuierait de répondre à ma question ?

Il la regarda sans comprendre, et Cami ne put se retenir de rire devant son air abasourdi.

— Je t'ai demandé de m'épouser, et j'aimerais bien savoir ce que tu en penses.

— Ah bon ? Je ne t'ai pas répondu ?

Un lent sourire narquois se dessina sur ses lèvres.

— Je me demande si je ne devrais pas laisser passer quelques jours… C'est une décision qui ne se prend pas à la légère.

— Tanner, dit-elle d'un ton suppliant. Tu es en train de me faire mourir.

Doucement, il lui caressa la joue.

— Alors nous sommes deux dans le même cas.

Une lueur moqueuse au fond de ses yeux d'ambre, il prit le temps de déposer un baiser sur ses lèvres.

— Oui, dit-il enfin. La réponse est oui. Je t'aime, et je veux passer le reste de ma vie avec toi.

— C'est vrai ?

— Oui. Mais j'ai une petite faveur à te demander.

— Je t'écoute.

— Tu crois que nous pourrions nous marier en cachette, rien que nous deux ?

— On dirait que ma famille te fait peur.

— Eh bien… oui.

— Oh, Tanner, c'est tellement mignon !

Vous avez aimé l'histoire de Cami ?

Découvrez dès le mois prochain les aventures de Dimi, qui aura grand besoin des conseils de sa sœur jumelle pour trouver l'âme sœur (Coup de Folie n°16) !

Passion en direct, par Jill Shalvis – n° 15

« Les hommes, maintenant, c'est terminé ! »
Quand Dimi avait fait cette annonce fracassante, elle ne savait pas qu'elle était à l'antenne, encore moins qu'elle était écoutée par son nouveau patron, Mitch Knight, un séducteur patenté. Aussi, quand il lui avait demandé de rendre l'émission plus « sexy », Dimi avait-elle vu rouge ! Car elle allait désormais devoir se trémousser en tenue légère devant la caméra, et pire, sous les yeux enjôleurs de Mitch…

Afin de mieux exprimer sa modernité et de vous séduire encore davantage, votre collection Or a changé de couverture et de nom depuis le 1er mars 1995.

Rassurez-vous, les romans, eux, ne changent pas, et vous pourrez retrouver dans la collection **Amours d'Aujourd'hui** tous vos auteurs préférés.

Comme chaque mois, en effet, vous y attendent des héros d'aujourd'hui, aux prises avec des passions fortes et des situations difficiles...

COLLECTION
AMOURS D'AUJOURD'HUI :
Quand l'amour guérit des blessures de la vie...

Chère lectrice,

Vous nous êtes fidèle depuis longtemps?
Vous venez de faire notre connaissance?

C'est pour votre plaisir que nous avons imaginé un rendez-vous chaque mois avec vos auteurs préférés, vos AUTEURS VEDETTE dans les collections Azur et Horizon.

Les AUTEURS VEDETTE vous donneront rendez-vous pour de nouveaux livres vedette.

Pour les reconnaître, cherchez l'étoile... Elle vous guidera!

Éditions Harlequin

HARLEQUIN

LE FORUM DES LECTEURS ET LECTRICES

CHERS(ES) LECTEURS ET LECTRICES,

VOUS NOUS ETES FIDÈLES DEPUIS LONGTEMPS?

VOUS VENEZ DE FAIRE NOTRE CONNAISSANCE?

SI VOUS AVEZ DES COMMENTAIRES, DES CRITIQUES À FORMULER, DES SUGGESTIONS À OFFRIR, N'HÉSITEZ PAS… ÉCRIVEZ-NOUS À:

LES ENTERPRISES HARLEQUIN LTÉE.
498 RUE ODILE
FABREVILLE, LAVAL, QUÉBEC.
H7R 5X1

C'EST AVEC VOS PRÉCIEUX COMMENTAIRES QUE NOUS ALLONS POUVOIR MIEUX VOUS SERVIR.

DE PLUS, SI VOUS DÉSIREZ RECEVOIR UNE OU PLUSIEURS DE VOS SÉRIES HARLEQUIN PRÉFÉRÉE(S) À VOTRE DOMICILE, NE TARDEZ PAS À CONTACTER LE SERVICE D'ABONNEMENT; EN APPELANT AU (514) 875-4444 (RÉGION DE MONTRÉAL) OU 1-800-667-4444 (EXTÉRIEUR DE MONTRÉAL) OU TÉLÉCOPIEUR (514) 523-4444 OU COURRIER ELECTRONIQUE: AQCOURRIER@ABONNEMENT.QC.CA OU EN ÉCRIVANT À:

ABONNEMENT QUÉBEC
525 RUE LOUIS-PASTEUR
BOUCHERVILLE, QUÉBEC
J4B 8E7

MERCI, À L'AVANCE, DE VOTRE COOPÉRATION.

BONNE LECTURE.

HARLEQUIN.

VOTRE PASSEPORT POUR LE MONDE DE L'AMOUR.

Composé et édité
PAR LES ÉDITIONS HARLEQUIN
Achevé d'imprimer en juillet 2003

à Saint-Amand-Montrond (Cher)
Dépôt légal : août 2003
N° d'imprimeur : 33933 — N° d'éditeur : 10055

Imprimé en France